‘Y MAE Y LLE YN IACH’

‘Y mae y lle yn iach’:

Chwarel Dinorwig 1875–1900

Elin Tomos

Argraffiad cyntaf: 2020

Cyhoeddir gan Wasg Carreg Gwalch,
12 Iard yr Orsaf, Llanrwst, Conwy, LL26 0EH.
Ffôn: 01492 642031 Ffacs: 01492 641502
e-bost: llyfrau@carreg-gwalch.cymru
lle ar y we: www.carreg-gwalch.cymru

Rhif rhyngwladol: 978–1-84527-728-4

Mae'r cyhoeddwr yn cydnabod cefnogaeth ariannol
Cyngor Llyfrau Cymru

Cynllun clawr: Eleri Owen

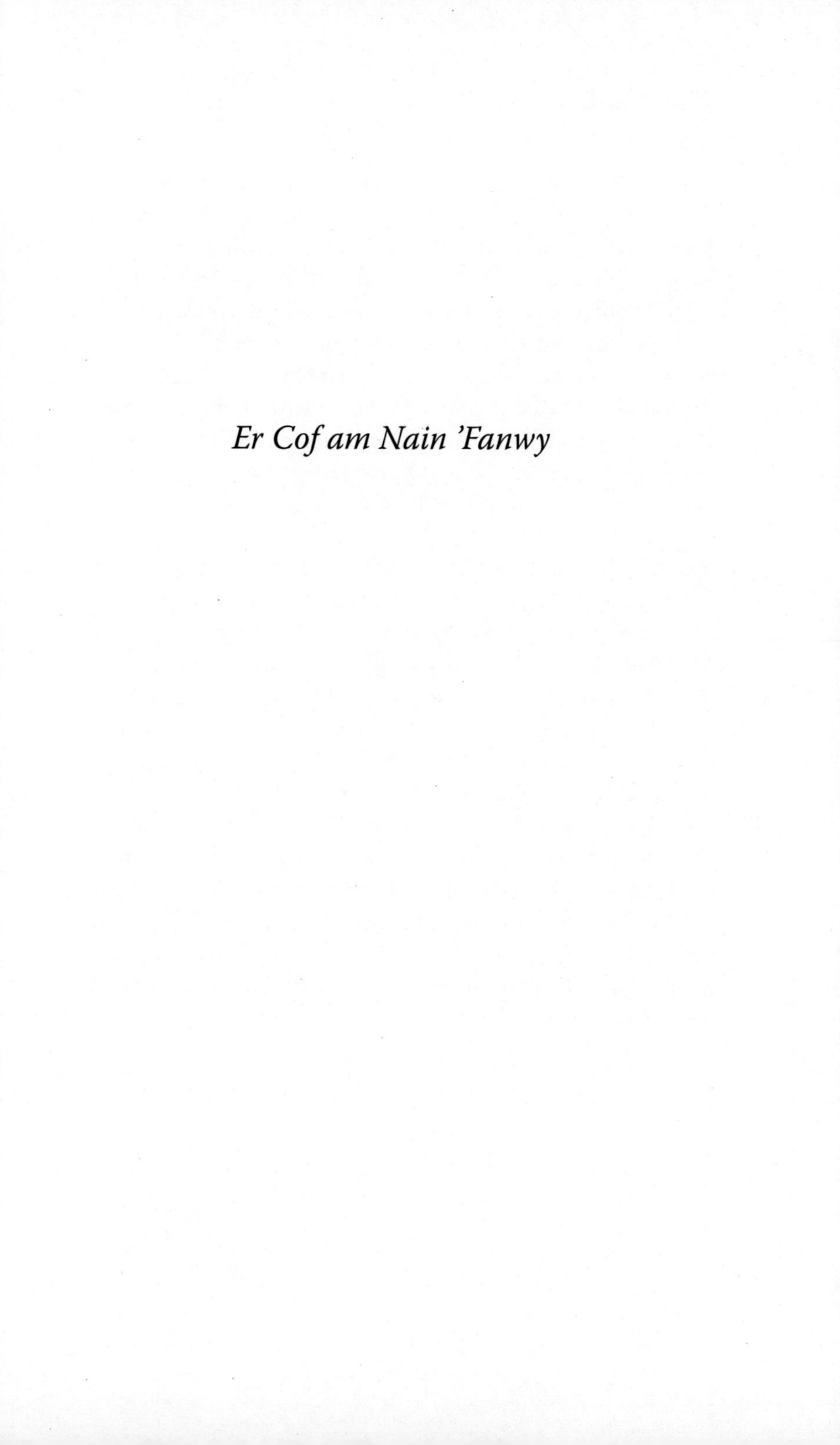

Er Cof am Nain 'Fanwy

Diolchiadau

Mae'r gyfrol hon yn addasiad o draethawd a gyflwynais ym mis Medi 2018 fel rhan o'm gradd Meistr ym Mhrifysgol Aberystwyth. Hoffwn ddiolch i staff yr Adran Hanes a Hanes Cymru am eu harweiniad gwerthfawr – yn arbennig felly Dr Steve Thompson a Dr Eryn White; roedd drysau eich swyddfeydd bob amser yn agored i fyfyrwyr mewn penbleth, ac am hynny, rwyf yn hynod ddiolchgar. Dymunaf ddiolch hefyd i Ymddiriedolaeth James Pantyfedwen a'r Coleg Cymraeg Cenedlaethol am ariannu fy ffioedd dysgu ac i Wasg Carreg Gwalch am gomisiynu'r gyfrol a sicrhau bod ffrwyth llafur fy ngradd yn cael gweld golau dydd.

Hoffwn ddiolch i Cadi Iolen, Lowri Ifor a Dr Dafydd Roberts, Amgueddfa Lechi Cymru, am eu sylwadau a'u hanogaeth. Dymunaf ddiolch hefyd i staff Gwasanaeth Archifau Gwynedd yn Archifdy Caernarfon; tydi ceisio darllen llawysgrifen meddygon Fictoraidd ddim yn dasg hawdd o bell ffordd – diolch am eich cymorth wrth geisio ei dadansoddi. Diolch yn fawr i Gordon Casbeard, Margaret Ellis, Lynn Williams, Phil a Lisa George ac i fudiad Menter Fachwen am adael i mi gynnwys lluniau o'u casgliadau arbennig o ffotograffau yn y gyfrol hon. Diolch yn arbennig hefyd i Emyr Gruffudd am rannu archif bersonol ei fam, y ddiweddar Margaret Cynfi, Deiniolen, gyda mi. Ac yn olaf, diolch i'm teulu a'm ffrindiau am wrando arnaf hyd syrffed yn parablu am hanes rhyw chwarelwr neu'i gilydd.

Cynnwys

‘Y mae y lle yn iach, ac ni bydd yma heintiau, os na ddygir hwy yma o leoedd eraill. Y mae gwyntoedd drwy y Bwlch yn puro yr awyrgylch oddi wrth bob amhuredd heintus.’

Parchedig G. Tecwyn Parry, 1908
Llanberis: Ei Hanes, Ei Phobl a’i Phethau

Cyflwyniad

Pleser a braint oedd derbyn gwahoddiad yr awdur i baratoi cyflwyniad ar gyfer y gyfrol yma. A minnau yn Geidwad Amgueddfa Lechi Cymru, Llanberis, ers dros dri deg o flynyddoedd bellach, mae'r swydd a'i chyfrifoldebau wedi rhoi'r cyfle i mi gynnal trosolwg o'r hyn sydd wedi ei gyhoeddi ynglŷn â phob math o agweddau'n ymwneud â hanes y broydd chwarelyddol. Mae'r diddordeb ym maes trafnidiaeth yn parhau'n rhyfeddol, ond mae yna hefyd ddiddordeb cynyddol yn hanes cymdeithasol, ac yn y profiad o fyw yn y broydd yma. Mae'r papurau bro wedi rhoi'r cyfle i bobl ddweud eu dweud, ac wrth reswm hefyd mae awduron o bob cyfnod – o Caradog Prichard i T. Rowland Hughes, hyd at Twm Miall – wedi cyflwyno eu dehongliadau eu hunain. Ychwanegwyd at hynny wedyn gan ddehongliadau ac esboniadau y diwydiant treftadaeth, gyda'r nod o geisio cyflwyno diwydiant a chymdeithas i sylw ymwelwyr fyddai'n deall fawr ddim, efallai, am bwysigrwydd y chwareli a'u pobl. Rhy hawdd, weithiau, ydi rhamantu, neu ystrydebu.

Mae gwaith ymchwil trylwyr Elin Tomos yn agor ein llygaid i fywyd go iawn y 'bobl o gig a gwaed' fu'n byw, yn gweithio, yn magu teuluoedd ac yn creu cymunedau diwydiannol yn Nyffryn Peris a thu hwnt yn ystod hanner olaf y cyfnod Fictoraidd. Dyma'r cyfnod yr oedd Chwarel Dinorwig, yn ogystal â nifer o chwareli llechi llai, yn gweithio ac yn cynhyrchu ar eu heithaf. Dyma gyfnod sefydlu Undeb Chwarelwyr Gogledd Cymru yng Nghraig yr Undeb, Penllyn, yn 1874, yn arf ac amddiffynfa ar gyfer hawliau dynion cyffredin. Ond, peidied neb â chredu mai cymdeithas dlodaidd, drwyddi draw, oedd hon – oherwydd dyma hefyd gyfnod sefydlu yr Eryri Shipping Company yn Llanberis, yn 1879, gyda 49 o'r 92 cyfranddalwr yn chwarelwyr! Fe ganodd Hogia'r Wyddfa, yn un o'u caneuon mwyaf adnabyddus, ei bod hi'n 'nefoedd, bois, o dan y sêr, yn hen bentre bach Llanbêr'. Mae'r gyfrol deimladwy ac arloesol yma yn fodd i ddangos nad oedd hi'n nefolaidd ar bawb. Mae hefyd yn codi cwr y llen ar fywydau merched mewn ardal lle mae profiad gwaith dynion wedi cuddio eu cyfraniad a'u stori'n llwyr.

Dr Dafydd Roberts, Amgueddfa Lechi Cymru,
Gorffennaf 2020

Rhagair

Mae Dr Pamela Michael wedi awgrymu mai Cymru yw'r wlad ddelfrydol ar gyfer astudio amodau cymdeithasol a darpariaeth iechyd yn y cyfnod modern.[1] O fewn cyd-destun Cymreig mae haneswyr iechyd wedi tueddu i ganolbwyntio ar y berthynas glòs a fodolai rhwng safonau byw, iechyd cyhoeddus a thwf a chwymp diwydiant yn y bedwaredd ganrif ar bymtheg a'r ugeinfed ganrif. Yn anochel efallai, o achos y fath raddfeydd o ddiwydiannu a threfoli a welwyd yn ne Cymru mae nifer sylweddol o astudiaethau yn canolbwyntio ar y sefyllfa a ddatblygodd yn nhrefi newydd y deheudir a'r cymunedau hynny a dyfodd driphlith draphlith yn sgil diwydiant. Mae'r astudiaethau hyn oll wedi llwyddo i ddatgelu llawer am agweddau pwysig ar hanes cymdeithasol Cymru a hynny yn ystod cyfnod o newid tyngedfennol yn hanes y wlad.

Bwriad y gyfrol hon yw dadlau bod natur arbennig cymunedau chwarelyddol y gogledd-orllewin yn sicrhau eu bod hwythau yn ardaloedd addas ar gyfer astudiaeth. Yn ystod blynyddoedd olaf y bedwaredd ganrif ar bymtheg cyrhaeddodd y diwydiant llechi Cymreig benllanw, gyda 14,000 o ddynion yn gweithio yng nghloddfeydd a chwareli'r wlad.[2] Bydd trwch yr astudiaeth hon wedi ei chanoli ar ddarpariaeth iechyd cymunedau chwarelyddol Dyffryn Peris yn ystod degawdau olaf y bedwaredd ganrif ar bymtheg. Ystyrir y cyfnod fel oes euraidd nid yn unig i'r diwydiant, ond hefyd i'r diwylliant unigryw hwnnw a oedd ynghlwm â'r gwaith. Bydd y gyfrol hon felly yn canolbwyntio'n benodol ar y blynyddoedd rhwng tua 1875 a 1900.

Mae Dyffryn Peris ym ymestyn fwy neu lai o Gorffwysfa ar ben Bwlch Llanberis i lawr trwy Nantperis a Llanberis, a heibio llynnoedd Peris a Phadarn gan gynnwys rhai o bentrefi'r llethrau megis Fachwen, Dinorwig a Deiniolen, neu Ebenezer i ddefnyddio'r enw gwreiddiol arno. Ar lawr gwlad, mae pentrefi Bryn'refail, Cwm-y-glo, Penisa'r-waun, Clwt-y-bont a Llanrug. Yn Nyffryn Peris mae rhai o gopaon enwocaf Eryri gan gynnwys yr Wyddfa, Crib Goch, Carnedd Ugain, Y Glyderau, y Garn ac Elidir Fawr. Ar lethrau Elidir y lleolwyd un o'r chwareli llechi mwyaf a welodd y byd: Chwarel Dinorwig, menter breifat dan berchnogaeth teulu Assheton Smith, Ystad y Faenol ger Bangor. Yn Nyffryn Peris ffurfiwyd, datblygwyd a chynhaliwyd mwclis o bentrefi diwydiannol newydd a hynny oherwydd y diwydiant llechi. Er mai hanes y pentrefi hyn sy'n denu fy sylw, rwyf wedi manteisio ar y cyfle i drafod y sefyllfa yn rhai o ganolfannau pwysig eraill y diwydiant; o ddyffrynnoedd Ogwen a Nantlle draw i fro Ffestiniog.

Wrth lunio'r gyfrol hon, defnyddiais drawstoriad o ffynonellau cynradd megis erthyglau papur newydd, llythyrau personol, rhestrau bedyddio a chladdu'r plwyf, cofnodlyfrau meddygol, cofnodion pwyllgorau a chymdeithasau amrywiol, papurau'r llywodraeth a chanfyddiadau ymholiadau swyddogol. Yng nghalon y gyfrol mae casgliad arbennig o ffotograffau a gynhwyswyd gyda'r bwriad yn anad dim o gyfleu naws yr ardal a'r cyfnod. Troswyd gwerth arian trwy ddefnyddio adnodd gwefan The National Archives. Mae'r dyfyniadau a gynhwyswyd oll yn ymddangos yn eu ffurf wreiddiol ac felly yn llais eu hawdur ac orgraff yr oes.

Dyletswydd unrhyw hanesydd gwerth ei halen yw cynhyrchu astudiaethau cytbwys a gwrthrychol, ond, wrth wneud hyn, mae peryg ein bod yn trin a thrafod hanesion pobl fel ffeithiau moel yn unig. I mi, mae hanes iechyd yn sicrhau elfen bersonol neilltuol; trwy ddadansoddi cofnodion meddygol unigolion a'r cyflyrau a oedd yn eu poenydio cawn ein hatgoffa rywsut mai pobl o gig a gwaed oedd pobl y gorffennol hefyd, pobl fel chi a fi.

Elin Tomos

---

1 Pamela Michael, 'An Overview of the History of Health and Medicine in Wales', yn Pamela Michael a Charles Webster (goln), *Health and Society in Twentieth Century Wales* (Caerdydd, 2006), t. 5.

2 R. Merfyn Jones, *The North Wales Quarrymen 1874–1922* (Caerdydd, 1982), t. 17.

Perchnogion Chwarel Dinorwig

Thomas Assheton Smith yr Hynaf (1752–1828)
Sylfaenydd Chwarel Dinorwig; etifeddodd Ystad y Faenol ym 1774.

Thomas Assheton Smith yr Ieuaf (1776–1858)
Sylfaenydd yr ysbyty newydd; etifeddodd Ystad y Faenol ar ôl ei dad ym 1828.

George William Duff Assheton Smith (1848–1904)
Mabwysiadodd y cyfenw 'Assheton Smith' ym 1859; etifeddodd Ystad y Faenol yn swyddogol ym 1869. Bu farw Matilda Assheton Smith (gweddw Thomas Assheton Smith yr Ieuaf a gor-fodryb George) ym 1860. Rhwng 1860 a 1869 roedd yr Ystad mewn ymddiriedolaeth, dan ofal tad George, Robert George Duff.

(Syr) Charles Garden Assheton Smith (1851–1914)
Etifeddodd Ystad y Faenol ar ôl ei frawd George ym 1904; mabwysiadodd y cyfenw 'Assheton Smith' y flwyddyn ganlynol.

(Syr) Robert 'Robin' George Vivian Duff (1876-1914)

Lladdwyd Robin yng Ngwlad Belg ar 16 Hydref 1914, ychydig wythnosau yn unig wedi iddo etifeddu'r Ystad.

(Syr) Charles Michael Robert Vivian Duff (1907–1980)

Etifeddodd Ystad y Faenol ar ôl ei dad Robert ym 1914. Mabwysiadodd y cyfenw 'Assheton Smith' ym 1928, er mai fel Michael Duff y cafodd ei adnabod wedi 1945.

Chwarel Dinorwig

> Pan dorer y deri yn agos i'r Yri,
> A'i nofiad yn efrydd o Gonwy i fro Gwerydd;
> A *throi cerrig yn fara* yn agos i'r Wyddfa.[1]
>
> *Myrddin Wyllt*

Erbyn troad y bedwaredd ganrif ar bymtheg roedd geiriau proffwydol y bardd chwedlonol, Myrddin Wyllt, wedi'u gwireddu ers sawl cenhedlaeth. Yn wir, gan lynu'n dynn at broffwydoliaeth yr hen fardd, ym 1892 disgrifiodd William Williams 'y garreg werdd-las' a gloddiwyd ar lethrau Dyffryn Peris fel y 'fam sydd yn dwyn bara ar fyrddau'r plwyf yr oll fel ei gilydd'.[2] Erbyn yr 1890au roedd gweithgarwch Chwarel Dinorwig yn ei anterth gydag oddeutu 2,900 o weithwyr yn ennill eu bara beunyddiol ar ei phonciau neu yng ngweithfeydd y Gilfach Ddu. Datblygodd Dinorwig yn un o brif ganolfannau'r diwydiant llechi Prydeinig, gyda llechi yn cael eu cloddio ar raddfa ddiwydiannol, eang a phroffidiol tu hwnt; yn ôl ffigyrau'r Parchedig G. Tecwyn Parry, echdynnwyd dros bum can tunnell o lechi bob dydd, fe'u cludwyd ar hyd rheilffordd gul Padarn i Bort Dinorwig yn y Felinheli.[3]

Cyfeirir at y diwydiant llechi Cymreig yn aml fel 'y diwydiant a roddodd do ar y byd'. Roedd gan lechi Cymru farchnad amlgyfandirol sylweddol. Yn ystod ail hanner y bedwaredd ganrif ar bymtheg bu masnachu bywiog â'r

Almaen, Ffrainc, Awstralia a'r Unol Daleithiau, yn ogystal â nifer o wledydd eraill. Mae'n debyg mai'r Unol Daleithiau oedd prif gyrchfan llechi'r Penrhyn, gyda chyfran helaeth o'i chynnyrch yn cyrraedd glan ym mhrif borthladd y de, New Orleans. Anfonwyd symiau mawr o lechi chwareli Ffestiniog o Borthmadog i Lerpwl ac yna ymlaen i Dde Affrica. Yn dilyn tân angheuol a ddinistriodd rannau helaeth o ddinas Hambwrg ym 1842 sicrhawyd cytundebau masnach llewyrchus a hirhoedlog gyda'r Almaen hefyd. Yn ogystal â chytundebau cyfandirol a rhyngwladol, roedd gan chwareli'r gogledd-orllewin farchnad gref ym Mhrydain; dewiswyd llechi Cymreig i doi ffatrïoedd a thai newydd y Chwyldro Diwydiannol yn Llundain, Sir Gaerhirfryn a chanolbarth Lloegr.

Roedd ffyniant y diwydiant llechi yn rhan greiddiol o'r Chwyldro Diwydiannol Prydeinig – a Chymreig. Ym 1836, dywedodd Thomas Roscoe, 'the slate quarries in this neighbourhood [Sir Gaernarfon], are conducted on an admirable and enlarged scale... no one can behold them without admiration of the powers of British skill and industry.'[4]

Ganrif ynghynt, go brin y byddai Roscoe wedi gallu arddel y fath ddisgrifiad. Hyd at derfyn y ddeunawfed ganrif gweinyddwyd clwstwr o fân chwareli ar lethrau Elidir trwy system chwarela syml; byddai chwarelwyr yn gweithio mewn partneriaethau bychain gan gloddio ar y cyd. Talai'r chwarelwyr rent blynyddol o ychydig sylltau i arglwydd y faenor – penteulu ystad y Faenol – am yr hawl i weithio ar ei dir. Cyfrifoldeb y chwarelwyr oedd cludo'r llechi oddi yno a chanfod marchnad iddynt, a'r farchnad honno i raddau helaeth wedi ei chyfyngu i ardaloedd cymharol leol i'r chwarel. Er mai'r chwarelwyr oedd piau'r elw, roedd yr ystad yn derbyn gwerth $^1/_8$ neu $^1/_{10}$ ohono.[5]

Gwyrdrowyd y system draddodiadol gan berchennog

newydd: Thomas Assheton Smith yr Hynaf. Roedd rhagflaenwyr Assheton Smith yn y Faenol wedi ystyried eu tiroedd creigiog yn Nyffryn Peris fel rhan ddiwerth o'u hystad, ond, fe sylweddolodd Thomas yr Hynaf y cyfoeth naturiol aruthrol a guddiai o dan lethrau serth mynydd Elidir. Ym 1788 gosododd Assheton Smith y mwyafrif o'r chwareli i ddau gyfreithiwr o Gaernarfon ar les o un mlynedd ar hugain. Erbyn diwedd y cyfnod, ym 1809, dechreuodd Assheton Smith ymgymryd â'r gwaith yn annibynnol a chafodd ei hun yr unig gloddiwr yn Ninorwig.[6] Roedd etifedd newydd y Faenol yn awyddus i ddilyn esiampl ystad y Penrhyn yn Nyffryn Ogwen a rhedeg y clwstwr o fân chwareli fel un chwarel ddiwydiannol, unedig. Rhyngddynt, roeddent yn berchen ar gyfran helaeth o'r diwydiant; yn wir, disgrifiodd un awdur Elidir fel 'a colossal plum cake' ac Assheton Smith a'r Arglwydd Penrhyn fel dau fachgen bach barus a oedd am y gorau i ennill y tamaid mwyaf.[7]

Mewn ymgais i sicrhau nad oedd unrhyw fentrwyr yn amharu ar ei gynlluniau yn Ninorwig, aeth Assheton Smith ati'n fwriadol gyda sêl bendith y gyfraith i feddiannu tiroedd comin Llanddeiniolen. Trwy gipio tiroedd comin y plwyf llwyddodd i ychwanegu 2,692 erw i'w eiddo. Cafwyd ymateb chwyrn gan blwyfolion Llanddeiniolen; ymddangosai'r weithred fel ymosodiad uniongyrchol ar eu hawliau sylfaenol a thraddodiadol ac ym mis Medi 1808, trodd eu hanfodlonrwydd yn ddicter a gwelwyd terfysg ar diroedd comin y plwyf. Anfonwyd ynad lleol ac yno, ar y comin, darllenwyd y Ddeddf Derfysg. Yn dilyn y digwyddiad, cyhoeddwyd enwau'r 'terfysgwyr', naw gŵr a phedair gwraig; cynigiwyd gwobr o £5 (tua £230 yn arian heddiw) gan yr awdurdodau i unrhyw un a fedrai eu cynorthwyo i ddal y troseddwyr.[8] Yr wythnos ganlynol, carcharwyd deg ohonynt yng ngharchar Caernarfon. Yn anffodus, ni wyddom beth ddigwyddodd i'r criw wedi hynny, ond yn ôl pob sôn llwyddodd un ohonynt, gŵr o'r enw Ellis Evan Siôn Foulk, i ffoi am gyfnod i Ferthyr Tudful.[9]

Er cynnig iawndal i'r chwarelwyr a'r tyddynwyr oedd wedi adeiladu eu cartrefi ar y comin, parhaodd y cwestiwn ynghylch perchnogaeth y tir yn bwnc llosg trwy gydol y bedwaredd ganrif ar bymtheg. Tros ganrif yn ddiweddarach, ym 1910, cynhaliwyd ymchwiliad swyddogol gan Gyngor Sirol Caernarfon i batrwm amgáu tiroedd ar draws y sir, gan graffu'n benodol ar nifer o blwyfi chwarelyddol megis Llanddeiniolen a Llandygái. Yn ôl gohebydd y *Welsh Gazette and West Wales Advertiser* pwrpas yr ymchwiliad oedd i '[d]dysgu y cyhoedd i fod yn fwy effro i'w hawliau yn y dyfodol.'[10] Ganddo cawn y sylw isod:

> yn yr amser gynt, crogid dynion am ladratta defaid; tra y caniateid i'r gweilch a ladrattent y tir oddiar y defaid – a'r bobl – i fwynhau eu hyspail yn ddigerydd a digosb. Y mae'n anmhosibl amgyffred maint y camwri a wnaed ar werin yn y wlad hon flynyddau yn ol trwy eu dihysbyddu o'r tir a'u hamddifadu, felly o unig foddion eu cynhaliaeth.[11]

Tybed ai o'r dyfyniad uchod y daw'r dywediad a arddelir yn lleol hyd heddiw?

> Mi gewch chi'ch crogi am ddwyn dafad oddi ar y mynydd
> Ond am ddwyn y mynydd mi gewch chi'ch gwneud yn Lord.

Trwy 'ddwyn y mynydd' llwyddodd Assheton Smith i sefydlu ei hawl gyfreithiol i chwarela'r tir. Wedi sicrhau'r hawl hon, roedd sgweier y Faenol – a'r disgynyddion a'i holynodd – yn rhydd i ddatblygu ac ehangu'r chwarel fel y mynnent.

Llinyn allweddol yn nhrafodaeth y gyfrol hon yw natur y berthynas a fodolai rhwng teulu Assheton Smith, y Faenol a'r chwarelwyr. Yn y cyfnod dan sylw, perchennog Chwarel Dinorwig oedd George William Duff Assheton Smith wedi iddo etifeddu'r ystad ym 1869 ar ei ben-blwydd yn un ar hugain gan ei or-fodryb, Matilda Assheton Smith, gweddw Thomas Assheton Smith yr Ieuaf, mab sylfaenydd y chwarel. Yn ystod y blynyddoedd rhwng marwolaeth Matilda a phen-blwydd George William Duff roedd ystad y Faenol wedi bod dan ofalaeth ei dad, Robert George Duff. Yn ystod cyfnod Robert adeiladwyd wal y Faenol, wal saith milltir o hyd sy'n amgylchynu'r plasty a'r tiroedd cyfagos.[12]

Roedd cyfran sylweddol o gyfoeth y Faenol wedi ei chanoli ym mhlwyfi Llanberis a Llanddeiniolen, gan mai yno y lleolwyd y chwarel. Serch hynny, nid oedd cyfoeth yr ystad wedi ei gyfyngu i elw diwydiannol yn unig; mewn llechres a luniwyd ym 1869, nodwyd bod tiroedd yr ystad yn ymestyn dros 38,000 o erwau ym Môn, Arfon, Llŷn ac Eifionydd.[13] Bu farw George William Duff Assheton Smith ym 1904 gan adael ewyllys gwerth £829,413 ar ei ôl, oddeutu £65 miliwn yn arian heddiw.[14] Ysgrifennwyd mewn llith goffa bod modd iddo gerdded o'r Faenol i gopa'r Wyddfa – pellter o oddeutu deng milltir – heb gamu oddi ar ei dir![15] Trwy gyfuniad o elw tirfeddiannol a chwarelyddol datblygodd ystad y Faenol yn un o'r ystadau mwyaf pwerus yng Nghymru.

Nodiadau

1 William Williams, *Hynafiaethau a Thraddodiadau Plwyf Llanberis a'r Amgylchoedd* (Llanberis, 1892), t. 106.
2 Ibid.
3 G. Tecwyn Parry, *Llanberis: Ei Hanes, Ei Phobl a'i Phethau* (Caernarfon, 1908), t. 76.

4 Thomas Roscoe, *Wanderings and Excursions in North Wales* (Llundain, 1836), t. 164.
5 Alun John Richards, *Slate Quarrying in Wales* (Llanrwst, 1995), t. 16.
6 H. D. Hughes, *Y Chwarel a'i Phobl* (Llandybïe, 1960), t. 13.
7 John E. Eardley-Wilmot, *Reminiscences of the late Thomas Assheton Smith, Esq.* (Llundain, 1860), t. 83.
8 Edward Davies, *The North Wales Quarry Hospital and the Health and Welfare of Quarrymen* (Aberystwyth, 2003), t. 12.
9 A. H. Dodd, *A History of Caernarvonshire* (Dinbych, 1968), t. 237.
10 *Welsh Gazette and West Wales Advertiser,* 24 Chwefror 1910, t. 3.
11 Ibid.
12 *Carnarvon and Denbigh Herald*, 20 Ebrill 1888, t. 8.
13 Reg Chambers Jones, *Dinorwic: The Llanberis Slate Quarry 1780–1969* (Wrecsam, 2006), t. 16.
14 *Y Cymro*, 15 Rhagfyr 1904, t. 2.
15 Jones, *Dinorwic*, t. 16.

Darpariaeth Iechyd Chwarel Dinorwig

'Ysbytty y Chwarelwyr'[1] : Ysbyty Chwarel Dinorwig

Ni fu ysbytai diwydiannol erioed yn sefydliadau cyffredin iawn; roedd ysbytai'r chwareli ymhlith y rhai cyntaf ym Mhrydain i gynnig darpariaeth iechyd ffurfiol i'w gweithwyr.[2] O achos natur beryglus y gwaith a safle anghysbell y chwareli, sylweddolwyd yn fuan bod gwasanaethau meddygol gerllaw'r gweithfeydd yn anghenrheidiol. Roedd pedwar ysbyty yn gwasanaethu'r diwydiant llechi Cymreig. Agorwyd y cyntaf, Ysbyty Chwarel y Penrhyn, ym 1840 gan ddisodli un cynharach a adeiladwyd tua'r flwyddyn 1825 ym Mangor. Dan nawdd Louise Oakeley, gweddw William Griffith Oakeley, adeiladwyd Ysbyty Chwarel Oakeley ar dir Ystad Tanybwlch yn Rhiwbryfdir ym 1848. Ddeugain mlynedd yn ddiweddarach, ym 1888, adeiladwyd ail ysbyty ym Mro Ffestiniog, Ysbyty Chwarel Llechwedd.

Ym 1860, dan nawdd Ystad y Faenol, adeiladwyd Ysbyty Chwarel Dinorwig. Mae'n debyg mai hwn oedd yr ail ysbyty i wasanaethu chwarelwyr Dinorwig; adeiladwyd y cyntaf yn ystod yr 1830au ym mharthau uchaf y chwarel yn ardal Alltddu. Wedi i'r ysbyty newydd ddisodli'r un gwreiddiol, defnyddiwyd yr adeilad fel cartref, ac yna fel siop. Erbyn heddiw mae'r hen ysbyty wedi cael ei lyncu gan y tomennydd llechi gwastraff ac wedi hen ddiflannu o'r golwg.[3]

Gweledigaeth Thomas Assheton Smith yr Ieuaf oedd yr ysbyty newydd, ond yn anffodus bu farw ym 1858 ddwy flynedd cyn i'r gwaith adeiladu gael ei gwblhau. Ychydig iawn o wybodaeth sydd wedi goroesi ynghylch hanes adeiladu'r ysbyty newydd. Mae cofnodion casgliad y Faenol yn datgelu bod Matilda Assheton Smith (gweddw Thomas yr Ieuaf) wedi awdurdodi dau daliad gwerth £150 yn ystod haf 1860 i ŵr o'r enw John Jones 'to pay the men on account for the work and labour done at the Hospital.'[4] Cwblhawyd y gwaith tra oedd Ystad y Faenol ym meddiant ymddiriedolaeth gan nad oedd yr etifedd newydd, George William Duff, eto wedi dod i oed.

Ym 1873, yn ystod taith o amgylch chwareli'r gogledd, disgrifiodd gohebydd y *Carnarvon and Denbigh Herald* yr ysbyty newydd; meddai:

> [The Hospital] is situated in the most beautiful part of the valley. Running northwards from the quarries there is a woody slope reaching the lakeside… Among these trees the hospital has been built. The place is extremely secluded and has at the same time a good view of the whole valley.[5]

Mewn ymgais i atgoffa chwarelwyr a phentrefwyr o garedigrwydd a haelioni teulu'r Faenol adeiladwyd yr ysbyty newydd uwchlaw dyfroedd Llyn Padarn. Fe'i lleolwyd yn ddigon pell o brysurdeb myglyd y ponicau a pheryglon strydoedd a thai gorboblog Ebenezer a Llanberis; llecyn a oedd yn fwriadol amlwg, trawiadol – a llesol.

O edrych ar reolau swyddogol yr ysbyty a gyhoeddwyd ym 1890 gan Brif Reolwr y Chwarel, W. W. Vivian, ceir yr argraff bod darpariaeth a gofal iechyd Ysbyty Chwarel Dinorwig ar gael i'r chwarelwyr yn 'ddidraul', gydag Assheton Smith, perchennog y chwarel, yn talu holl gostau gwasanaethau meddygol.[6] Mae hyn fymryn yn gamarweiniol.

Elwyddyn wedi adeiladu Ysbyty Chwarel Dinorwig, ym 1861, sefydlwyd Cymdeithas Cronfa Chwarelau Dinorwig. Gweinyddwyd y gymdeithas gan bwyllgor gweithredol, sef y Llywydd Mr. Assheton Smith, y Rheolwr, Prif Feddyg yr ysbyty, a deuddeg o chwarelwyr, oll yn cynrychioli rhanbarthau o'r chwarel. Roedd aelodaeth o'r Gymdeithas yn orfodol a byddai swllt yn cael ei atal o gyflog misol pob chwarelwr (ac eithrio'r bechgyn); estynnwyd dirwy o chwe cheiniog i unrhyw chwarelwr a fyddai'n methu talu ei swllt misol.[7] Yn ogystal â chynnal yr ysbyty roedd cyfraniadau y chwarelwyr yn cael eu defnyddio ar gyfer dosbarthu 'clafdâl', pensiynau ac 'arian angladdol.'[8] Roedd claf i dderbyn tri swllt yr wythnos a phensiynwyr i dderbyn swllt. Ym 1888, bu ymgais i geisio cynyddu'r tanysgrifiad misol i swllt a chwe cheiniog, cynnydd a fyddai yn ei dro yn arwain at ddyblu tâl pensiwn wythnosol yn ogystal â chynyddu swm y 'claf-dâl' wythnosol i bum swllt. Rhoddwyd yr achos ger bron y gweithlu a chafwyd pleidlais. Gwrthodwyd y penderfyniad gyda 1,242 yn erbyn o'i gymharu â'r 982 a oedd o blaid.[9]

Er mwyn derbyn 'claf-dâl' roedd rhaid i'r claf 'hysbysu yr Aelod fydd yn byw agosaf ato, o fewn y dau ddiwrnod cyntaf o'i afiechyd', ac roedd disgwyl i'r aelod hwnnw ymweld â'r claf o leiaf dwy waith yr wythnos.[10] Pe bai claf yn gadael ei gartref (heb ganiatâd y meddyg) 'cyn Chwech yn y boreu neu ar ol Wyth o'r gloch yr hwyr' neu'n 'euog o feddwi', byddai'n rhaid iddo dalu ei fudd wythnosol yn ôl i'r gymdeithas.[11] Ym 1889 yn unig talwyd gwerth £584 o fudd-daliadau – oddeutu £48,000 yn arian heddiw – i 1,634 aelod, yn fras, hanner y gweithlu, ffigwr sy'n profi'n wirioneddol y peryglon iechyd a wynebai'r chwarelwyr o ddydd i ddydd.[12] Derbyniai'r mwyafrif o gleifion dâl blynyddol o dri neu chwe swllt, sy'n golygu bod nifer helaeth o aelodau wedi colli wythnos neu bythefnos o waith. Byddai'r rheiny a fu'n dioddef am gyfnodau hirach yn derbyn symiau mwy, megis 'W. R. Roberts, Ebenezer' a dderbyniodd £7 2s gan y gronfa ym 1889, cyfanswm sy'n cyfateb i werth chwe mis o glaf-dâl; dyma'r uchafswm a roddwyd ar gyfer blynyddoedd 1887, 1888 a 1889.[13]

Roedd y mwyafrif o bensiynwyr yn derbyn £2 11s y flwyddyn, sydd gyfystyr ag oddeutu £210 yn arian heddiw.[14] Rhaid cofio nad oedd 'pensiynwyr' o reidrwydd yn ddynion mewn oed, defnyddiwyd y term hefyd i ddisgrifio chwarelwyr anabl neu'r rheiny a fu'n dioddef yn sgil salwch neu anaf hirdymor. Mae achos 'Evan Williams, Dinorwic House, Llanberis' yn enghraifft berffaith. Ym 1887 derbyniodd glaf-dâl gwerth £6 2s 6c, yr uchafswm a roddwyd y flwyddyn honno.[15] Y flwyddyn ganlynol derbyniodd glaf-dâl gwerth £1 2s a phensiwn gwerth £2 2s, sy'n awgrymu ei fod wedi 'ymddeol' ryw ben yn ystod 1888 ac yntau'n ddim ond deunaw oed![16] Y flwyddyn ganlynol, deuddeg swllt o bensiwn yn unig a dderbyniodd gan ei fod, yn ôl manylion yr Adroddiad Blynyddol, wedi dychwelyd i weithio yn y chwarel.[17]

Yn wahanol i weddill ysbytai'r chwareli mae adeilad Ysbyty Chwarel Dinorwig yn dal i hawlio ei le hyd heddiw.[18] Mae'n adeilad sylweddol, wedi ei godi o wenithfaen a llechen. Roedd llechen, wrth reswm, yn ddewis amlwg, tra bod yr eglurhad dros ddefnyddio gwenithfaen ychydig yn fwy amwys. Yn ôl Hugh Jones, cyn-brif beiriannydd Chwarel Dinorwig a churadur cyntaf yr Amgueddfa Lechi, gwenithfaen a chwarelwyd yn Ninorwig a ddefnyddiwyd. Yn ôl pob golwg, mae maen o wenithfaen o'r enw'r Ceiliog Mawr yn gwahanu dwy wythïen o lechen yn y chwarel.[19] Mae gan Reg Chambers Jones ddamcaniaeth wahanol: yn ei farn ef, gwenithfaen o'r Alban a ddefnyddiwyd i adeiladu'r ysbyty. Yn ôl y stori, er mwyn sadio llongau llechi gwag a oedd yn dychwelyd i'r Felinheli o'r Alban cludwyd gwenithfaen ar eu bwrdd fel balast. Wrth gyrraedd glan yn y Felinheli gwagiwyd y llongau a gadawyd y garreg wastraff ar ochr yr harbwr ym Mhort Dinorwig. Mae'n debyg bod nifer o drigolion wedi manteisio ar y deunydd adeiladu hwn – sy'n esbonio pam, efallai, bod nifer o dai yn y Felinheli wedi cael eu hadeiladu gan ddefnyddio gwenithfaen yn y cyfnod dan sylw. Gan fod gormodedd o wenithfaen yn cyrraedd glan ym Mhort Dinorwig awgrymodd Reg Chambers Jones fod Assheton Smith – fel pentrefwyr y Felinheli – wedi gwneud defnydd o'r garreg wastraff ac wedi ei chludo ar hyd y rheilffordd i Lanberis.[20]

Roedd yr ysbyty newydd yn cynnwys bloc derbynfa ganolog gydag adenydd yn ymestyn allan ar gyfer wardiau. I'r chwith o'r brif fynedfa roedd dwy ward a fferyllfa; i'r dde roedd ystafell lawfeddygol a dwy ward arall. Yng nghefn yr adeilad roedd cegin, storfa oer, golchdy, llety gweision ac ystafell eistedd. O dan yr ysbyty roedd seler lle gweinyddwyd archwiliadau *post-mortem*, ac ar gyrion yr adeilad adeiladwyd marwdy pwrpasol. Yn yr ysbyty darparwyd gwasanaeth meddygol i gleifion mewnol ac allanol. Roedd yr ysbyty yn caniatáu i deuluoedd a ffrindiau ymweld â chleifion rhwng 11yb ac 8yh ar ddyddiau Llun, Mercher a Gwener. Ni chaniatawyd plant yn yr ysbyty, yr unig gyswllt rhwng cleifion a'u plant oedd trwy ffenestr y ward. Roedd modd i gleifion a oedd yn ddigon da i godi o'u gwlâu dreulio amser ar y glaswellt tu allan i'r ysbyty; mae'r graffiti Fictoraidd trawiadol sydd wedi goroesi hyd heddiw ar gerrig y wal sy'n amgylchynu'r ysbyty yn profi bod nifer o gleifion wedi lladd awr neu ddwy yn eistedd ar y wal yn edmygu'r olygfa o Ddyffryn Peris gan geisio ymgyrraedd at ryw fath o anfarwoldeb trwy gerfio'u henwau yno.

Prif ddiben yr ysbyty oedd cynnig gofal meddygol i weithwyr Chwarel Dinorwig, yn arbennig y rheiny a oedd yn dioddef yn dilyn damwain neu o achos anaf a oedd yn gysylltiedig â'u gwaith. Pan ddigwyddai damwain cryn bellter o'r ysbyty byddai'r claf yn cael ei gludo ar stretsier wedi'i addasu'n arbennig i redeg ar hyd y rheilffordd. Os nad oedd modd cludo'r claf ar hyd y rheilffordd byddai'n rhaid i'w gyd-weithwyr ei gario gan ddefnyddio 'hen ddull dyngarol' a oedd bron yn unigryw i'r chwarelwyr.[21] Fel rheol, cludwyd y claf mewn math arbennig o focs-stretsier. Roedd y bocs oddeutu saith troedfedd o hyd ac o gwmpas dwy droedfedd o led. Gosodwyd y claf yn y bocs ac fe'i cariwyd ef gan bedwar cyd-weithiwr. Byddai angen o leiaf pedwar arall i gydgerdded y daith i'r ysbyty er mwyn gallu ffeirio gyda'r rheiny a oedd yn cario. Os oedd cyflwr y claf yn arbennig o ddrwg byddai un os nad dau gyd-weithiwr yn eistedd gydag ef yn y bocs er mwyn ei atal rhag symud, cynnig ychydig gynhesrwydd a chynnal ei ysbryd ar hyd y daith.

Ym 1888, bu ymgais aflwyddiannus gan awdurdodau Chwarel Dinorwig i addasu'r arferiad o gludo claf. Gorchmynnwyd mai'r 'goruchwyliwr [oedd] i benderfynu nifer y rhai sydd i fyned i gludo yr archolledig.'[22] Ym marn y chwarelwyr, roedd y gorchymyn hwn yn anymarferol: 'pe digwyddai damwain drom, tori gwythïenau, a'r gwaed yn llifo, ac heb foment i'w golli, pa le y byddai y goruchwyliwr?'[23] Roedd dadl y chwarelwyr yn un gyfiawn, onid holl bwynt adeiladu ysbyty gerllaw'r gweithfeydd oedd i sicrhau bod gan y gweithwyr fynediad at ddarpariaeth meddygol – a hynny ar frys?

Roedd hi'n angenrheidiol 'cael mintai lluosog er cludo dyn' i'r ysbyty.[24] Ar 13 Mehefin 1905, gwelwyd 'damwain alaethus yn y bonc a adwaenir wrth yr enw o Twll y Dwndwr' pan drawyd Richard William Jones, chwarelwr ifanc o Riwlas gan garreg fawr.[25] Wrth i'w gyd-weithwyr ei osod yn y bocs-stresier, gofynnodd Richard i'w gyfeillion ganu iddo: 'Canwch hogiau, "O Dduw rho i mi dy hedd"', emyn a oedd wedi ennill poblogrwydd yn dilyn y Diwygiad crefyddol a oedd wedi ysgubo ar draws y wlad o 1904 ymlaen.[26] Bu taith Richard i'r ysbyty yn un ofer; i gyfeiliant yr emyn boblogaidd 'the sad procession marched to the quarry hospital where the injured man died.'[27] Gwnaeth gais 'i'w gydweithwyr ofalu am ei weddw a'i chwe' plentyn.'[28]

Gwaetha'r modd, ni adeiladwyd ysbyty ar gyfer gweithwyr chwareli gwasgaredig Dyffryn Nantlle. Mor ddiweddar â 1907 roedd Pentir Williams, Crwner Sir Gaernarfon, yn methu deall pam nad oedd ysbyty wedi cael ei adeiladu 'in a populous place like Nantlle.'[29] Fe wnaeth y sylw yn ystod cwest i farwolaeth Owen R. Williams, chwarelwr a fu farw yn dilyn damwain yn Chwarel y Cilgwyn. Yn ei gasgliadau, eglurodd y Crwner '[that the] deceased's left leg was badly crushed, and had to be amputated, at the Cottage Hospital, Carnarvon, a distance of nine miles from the quarry.'[30] Fel rheol, yn Nyffryn Nantlle roedd yn rhaid cludo chwarelwyr clwyfedig i'w tai, taith o ddwy os nad tair milltir yn achos y mwyafrif o gleifion.

Er mai ysbyty wedi'i adeiladu'n benodol ar gyfer derbyn cleifion yn dilyn damweiniau oedd Ysbyty Chwarel Dinorwig, ni chyfyngwyd y gofal i achosion damweiniol yn unig. Yr enw cyntaf i ymddangos yng nghofnodlyfrau'r ysbyty pan ddechreuwyd cadw cofnodion o gleifion yw

'Richard Thomas, Talsarnau, Penisarwaun' a dreuliodd wythnos yn yr ysbyty ym mis Gorffennaf 1890 yn derbyn triniaeth ar gyfer dolur rhydd.[31] Mae'r amrywiaeth o gyflyrau a welwyd yn Ninorwig yn syfrdanol: o glefyd y galon a thiwmorau i gryd cymalau, ecsema, llid y pendics ac epilepsi, roedd meddygon Dinorwig ar alw i drin pob math o glefydau a chlwyfau amrywiol. Yn yr ystyr hwn, roedd Ysbyty Chwarel Dinorwig (a'r Penrhyn i raddau) yn unigryw ymhlith ysbytai'r chwareli; gwyddom fod pwyllgor gweithredol Ysbyty Chwarel Oakeley ym mro Ffestiniog wedi rhoi'r gorau i dderbyn unrhyw gleifion ac eithrio achosion damweiniol o 1881 ymlaen.[32]

Yn Ysbyty Chwarel Dinorwig rhwng 9yb ac 11yb bob dydd (ac eithrio'r Sul) roedd cyfle i gleifion ofyn am gyngor meddygol; pe bai'r claf yn rhy wael i ymweld â'r ysbyty byddai'r meddyg yn fodlon teithio i'w gartref cyn belled â'i fod yn byw o fewn pedair milltir a hanner.[33] Mae Dr Edward Davies wedi astudio cofnodlyfrau'r ysbyty mewn cryn fanylder. Yn ôl ffigyrau Davies, rhwng 23 Gorffennaf a 31 Rhagfyr 1890 gwelodd y meddygon 2,552 o achosion. Yn y deuddeg mis canlynol roedd y cyfrif yn 7,036. Ym 1892 gwelwyd 5,023 o achosion. Gan gymryd bod y chwarel yn gweithio i wythnos bum diwrnod a hanner, ar gyfartaledd gwelwyd 19 o gleifion yn ddyddiol ym 1890, 25 ym 1891 a 23 ym 1892. Golygai hyn fod pob chwarelwr, ar gyfartaledd, yn gweld y meddyg o leiaf dwywaith y flwyddyn.[34]

Roedd nifer y cleifion dyddiol wrth reswm yn amrywio. Pan drawyd ardal Llanberis gan bwl drwg o *influenza* ym mis Mai 1891 gwelodd meddygon yr ysbyty dros gant o gleifion bob dydd.[35] Yn ôl bob sôn, roedd un 'hen wreigan yn Llanberis' wedi penderfynu o achos ei rym bod 'influencial' yn air llawer gwell ar y clefyd na 'influenza'![36] Roedd Pandemig Influenza 1889–93 – neu'r 'Russian Flu' fel y cyfeiriwyd ato ym mhapurau newydd y cyfnod – ymhlith un o'r digwyddiadau mwyaf difrifol a welwyd yn ystod y ganrif, gydag oddeutu 125,000 o farwolaethau yng ngwledydd Prydain yn unig.[37] Ar 1 Mai 1891 adroddwyd ym mhapur newydd y *Carnarvon and Denbigh Herald* bod dros 280 o achosion yn Llanberis yn unig, 'chiefly workmen employed at Mr. Assheton Smith's slate quarries.'[38] Ymhen pythefnos roedd gohebydd *Baner ac Amserau Cymru* ar ddeall 'fod o ddeutu pum cant o chwarelwyr Llanberis yn glaf o dan yr anwydwst.'[39] Ysgrifennodd un chwarelwr yn unswydd at ohebydd *Baner ac Amserau Cymru* er mwyn canmol y gofal a ddarparwyd yn Ysbyty Chwarel Dinorwig yn ystod y cyfnod heriol hwn. Nododd fod meddygon yr ysbyty wedi gorfod ymdrin â '[ch]ynnulliad enfawr o gleifion bob dydd... pa fodd bynag, caiff pob achos unigol sylw astud, gonest a chyflym.'[40]

Roedd hylendid a glanweithdra yn flaenoriaethau mawr yn ysbyty Dinorwig. Yn rhyfeddol, ni chollwyd yr un claf o achos haint yn dilyn llawdriniaeth yno; rhwng 1892 a 1920 gwelwyd tair marwolaeth yn unig yn sgil gwenwyn gwaed, gyda phob achos yn cyrraedd yr ysbyty gyda chlwyf a oedd eisoes yn ddrwg.[41] Mewn ymgais i leihau'r risg o drosglwyddo haint yn ystod llawdriniaethau, aeth R. H. Mills Roberts, Prif Lawfeddyg Ysbyty Chwarel Dinorwig yn y cyfnod 1890–1914, i'r ymdrech o osod tapiau dŵr arbennig ar lawr yr ystafell feddygol a oedd yn gallu cael eu rheoli gan ei draed!

Roedd yr ysbyty hon ar flaen y gad mewn sawl ystyr; yn arbennig felly o ystyried yr offer a ddefnyddiwyd. Ym 1871 wedi blynyddoedd o arbrofi gydag asid carbolig fe lwyddodd llawfeddyg o'r enw Joseph Lister i ddatblygu chwistrell antiseptig; y 'Lister spray.'[42] Gwyddys fod Dr Thomas Hughes, Prif Lawfeddyg Ysbyty Chwarel Dinorwig yn y cyfnod 1875–90, wedi defnyddio math cynnar o'r chwistrell Lister yn llwyddiannus cyn gynhared â 1878.[43] Defnyddiwyd cyfarpar pelydr-x yn yr ysbyty gwta flwyddyn wedi i'r Athro Thomas Roentgen ddarganfod eu gwerth ym 1895 gan wneud Ysbyty Chwarel Dinorwig yr ysbyty cyntaf trwy ogledd Cymru i ddefnyddio cyfarpar o'r fath; ni chafwyd peiriant yn Ysbyty'r C&A ym Mangor tan 1904.

Roedd gan feddygon Dinorwig allu anghyffredin i drin anafiadau difrifol i'r pen, rhai a fyddai wedi bod yng nghyd-destun safonau'r oes – yn ddieithriad bron – yn angheuol. Un bore Sul ym mis Medi 1906, roedd cannoedd o drigolion Dyffryn Peris wedi cerdded i gopa'r Wyddfa er mwyn gweld yr haul yn codi; traddodiad Naw Nos Olau.[44] Ar y ffordd yn ôl i lawr, defnyddiodd Robert Owen Roberts, chwarelwr ifanc o Lanberis, ei gaib i sglefrio i lawr rheilffordd yr Wyddfa; yn anffodus, fe fethodd droad a tharo ei ben ar graig gan dorri ei benglog.[45] Derbyniodd driniaeth yn Ysbyty Chwarel Dinorwig, ac wedi pum wythnos fel claf mewnol cafodd ei ryddhau yn holliach unwaith eto.[46]

Mae nifer o haneswyr wedi ysgrifennu'n helaeth am y gofal a ddarparwyd yn Ysbyty Chwarel Dinorwig, ac nid yn annisgwyl maent yn canmol y gofal hwnnw i'r entrychion. Maent wedi gosod pwyslais ar lwyddiant a blaengaredd y sefydliad wrth ddarparu gwasanaeth meddygol o'r radd flaenaf i gannoedd o chwarelwyr dros gyfnod o bedwar ugain a phump o flynyddoedd. Mae Edward Davies, Reg Chambers Jones ac Emyr Jones oll wedi rhoi cryn sylw i hanesion o driniaeth ragorol, megis hanes Edward Jones o Fethel. Yn dilyn ffrwydrad yn y chwarel collodd Edward ei ddwy fraich, a chydweithiodd y llawfeddyg, yr athrylith, R. H. Mills Roberts, gyda Thomas Hughes y gof er mwyn creu breichiau o fetel a reolid gan wifrau fel bod modd i Edward ddefnyddio cyllell a fforc a thynnu ei gap yn y capel![47] Dyma achos unigol sydd yn haeddu sylw a chlod, un enghraifft o blith nifer sy'n amlygu safon a dyfeisgarwch rhyfeddol y gwasanaeth. Er mor werthfawr yw'r wybodaeth a gyflwynir yn yr astudiaethau blaenorol, nid yw haneswyr wedi manteisio ar y cyfle i ystyried pwysigrwydd y sefydliad i drigolion y pentrefi amgylchynol, trigolion nad oedden nhw o reidrwydd yn gweithio yn y chwarel. Mae rheolau swyddogol yr ysbyty yn awgrymu nad oes unrhyw sail i'r honiad uchod.

Nodwyd bod gwasanaethau'r Ysbyty yn gyfyngedig i weithwyr Assheton Smith yn unig. Nodir

> fod i'r adeilad gael ei ddefnyddio yn Yspytty... er derbyn a chynorthwyo y Dynion neu'r Bechgyn hyny ydynt yng ngwasanaeth Mr. Assheton-Smith, ac wedi cyfarfod a damweiniau.[48]

Er gwaetha'r gosodiad, mae tystiolaeth yn awgrymu nad oedd swyddogion yn glynu'n dynn at y rheol uchod. Ym mis Tachwedd 1904, dathlwyd y ffaith bod 'Mrs. Laura Davies, 16 Llainwen, Llanberis' yn gallu gweld unwaith eto.[49] Roedd Laura Davies yn ddall ers dros dair blynedd ond yn dilyn llawdriniaeth i dynnu cataract gan 'ein Prif-feddyg Mills Roberts' dychwelodd ei golwg.[50] Roedd gohebydd *Gwalia* ar ddeall fod Laura 'yn ddiolchgar iawn i'r meddyg galluog, ac nid ydyw hi yn fyr o ddatgan ei glodydd ef wrth bob un a'i cyfarfydda.'[51]

Dros y Pasg ym 1896, dridiau yn unig ar ôl agor rheilffordd yr Wyddfa bu damwain angheuol wrth i drên fynd oddi ar y cledrau.[52] Wedi'r ddamwain aeth R. H. Mills Roberts, i fyny i asesu'r rheiny a oedd wedi'u hanafu; anfonodd 'y rhai oedd wedi eu niweidio fwyaf difrifol i'r ysbytty.'[53] Yn achos un gŵr, Ellis Roberts, perchennog

Padarn Villa Hotel, Llanberis (tafarn Padarn Lake erbyn heddiw), bu'n rhaid i'r meddyg dorri ei goes dde yn y fan a'r lle, ond, yn anffodus, bu Ellis farw'r diwrnod canlynol.[54]

Ym mis Mehefin 1909, cludwyd 'John Phillips, Stamps, Nantperis' i'r ysbyty wedi Mills Roberts ddod o hyd iddo'n gorwedd yn anymwybodol ger ei feic ar Fwlch Llanberis. Roedd Phillips wedi dioddef ergyd go drom ac o ganlyniad wedi torri ei benglog a'i fraich chwith.[55]

Nid yw hanes achosion damweiniol (nad oedd ag unrhyw gysylltiad uniongyrchol â'r chwarel) yn cael llawer o sylw yn yr hanesyddiaeth er eu bod yn ffurfio rhan bwysig o waith beunyddiol yr Ysbyty ac yn pwysleisio natur eang y gwasanaeth a ddarparwyd gan sefydliad 'galwedigaethol.'

Tra oedd Chwarel Dinorwig yn gweithio ar ei heithaf, fe welwyd oes euraidd o driniaeth yn ei hysbyty. Yn ystod y cyfnod hwn, mae'n ymddangos bod awdurdodau'r ysbyty wedi bod yn fodlon plygu mymryn ar y rheolau a chynnig darpariaeth werthfawr i rai o aelodau'r gymued chwarelyddol ehangach, unigolion nad oedden nhw o reidrwydd yn gweithio yn y chwarel. Manylyn sydd nid yn unig yn pwysleisio ehangder darpariaeth iechyd ysbyty 'diwydiannol' ond hefyd ei bwysigrwydd fel sefydliad i'r bobl hynny a fu'n byw yng nghysgod y chwarel.

Nodiadau

1. *Y Genedl Gymreig*, 5 Mawrth 1884, t. 7.
2. Davies, *The North*, t. 56.
3. Jones, *Dinorwic*, t. 105.
4 Ibid., t. 106.
5. M. J. T. Lewis (gol.), *The Slate Quarries of North Wales in 1873* (Penygroes, 1987), t. 7.
6. Gwasanaeth Archif Gwynedd (GAG wedi hyn) DQ/1714 Rheolau Yspytty Chwarel Dinorwig (21 Mehefin 1890)

7 GAG XDQ/2524 Adroddiadau Blynyddol Cymdeithas Cronfa Chwarelau Dinorwig 1887, 1888, 1889; Rhestr o bensiynwyr a'u hoedran 1893.
8. GAG XDQ/2524
9. GAG XDQ/2524
10. GAG XDQ/2524
11. GAG XDQ/2524
12. Jones, *The North*, t. 39.
13. GAG XDQ/2524
14. GAG XDQ/2524
15. GAG XDQ/2524
16. GAG XDQ/2524
17. GAG XDQ/2524
18. Mae'r adeilad bellach yn gartref i amgueddfa feddygol werth chweil; mae nifer o hen wrthrychau gwreiddiol wedi goroesi ac yn cael eu harddangos yno heddiw.
19. Davies, *The North*, t. 72.
20. Jones, *Dinorwic*, t. 106.
21. *Baner ac Amserau Cymru*, 30 Mai 1888, t. 13.
22. Ibid.
23. Ibid.
24. Ibid.
25. *Gwalia*, 20 Mehefin 1905, t. 3.
26. *Weekly Mail*, 24 Mehefin 1905, t. 8.
27. Ibid
28. *Gwalia*, 20 Mehefin 1905, t. 3.
29. *Carnarvon and Denbigh Herald*, 20 Medi 1907, t. 5.
30. Ibid.
31. GAG DQ/1707 Cofnodion Cleifion Mewnol Ysbyty Chwarel Dinorwig
32. Davies, *The North*, t. 77.
33. GAG DQ/1714
34. Davies, *The North*, t. 77.
35. *Report of Committee of Inquiry on Conditions under which Quarrying of Stone, Limestone, Slate and Clay is conducted, with Object of diminishing Dangers to Life or Health of Workpeople*, (1893-4), t. 27.
36. *Y Genedl Gymreig*, 27 Mai 1891, t. 5.
37. Mark Honigsbaum, 'The Great Dread: Cultural and Psychological Impacts and Responses to the "Russian" Influenza in the United Kingdom, 1889-1893', *Social History of Medicine*, 23, 2, (Gorffennaf 2010), t. 300.
38. *Carnarvon and Denbigh Herald*, 1 Mai 1891, t. 4.

39. *Baner ac Amserau Cymru*, 16 Mai 1891, t. 4.
40. Ibid., 13 Mai 1891, t. 7.
41. Davies, *The North*, t. 82.
42. Gweler cyfrol Lindsay Fitzharris, *The Butchering Art Joseph Lister's Quest to Transform the Grisly World of Victorian Medicine* (Llundain, 2017)
43. Davies, *The North*, t. 81.
44. *Yr Herald Cymraeg*, 4 Medi 1906, t. 8.
45. *The North Wales Express*, 7 Medi 1906, t. 8.
46. GAG DQ/1707
47. Emyr Jones, *Bargen Dinorwig* (Caernarfon, 1980), t. 62.
48. GAG DQ/1714
49. Ceir astudiaeth lawn o'r merched a dderbyniwyd i'r ysbyty yn y bennod 'Merched (Ysbyty) Chwarel Dinorwig'.
50. *Gwalia*, 1 Tachwedd 1904, t. 3.
51. Ibid.
52. *Y Cymro*, 9 Ebrill 1896, t. 5.
53. Ibid.
54. *Evening Express*, 7 Ebrill 1896, t. 3.
55. *Carnarvon and Denbigh Herald*, 4 Mehefin 1909, t. 5.

Merched (Ysbyty) Chwarel Dinorwig

> Slate quarrying was a male industry and as far as is known no woman worked in a slate quarry in any capacity.[1]

Rhyfedd, felly, oedd darganfod bod nifer o ferched wedi derbyn triniaeth yn Ysbyty Chwarel Dinorwig. Gan fanteisio ar yr ychydig ffeithiau sydd i'w canfod yng nghofnodlyfrau'r ysbyty, dyma geisio cynnig cipolwg ar fywydau rhai o ferched chwarelyddol Dyffryn Peris.

'Mrs. Ellen Williams, Penceunant, Llanberis' (*c.* 1860 – ?)

Claf Mewnol
27 Mai 1894 – 21 Gorffennaf 1894
16 Hydref 1894 – 10 Tachwedd 1894

Ym 1894 treuliodd 'Mrs. Ellen Williams, Penceunant, Llanberis' dros ddeufis yn yr ysbyty fel claf mewnol.[2] Yn ôl y nodiadau, roedd Ellen yn dioddef gyda chymal pen-glin twbercylaidd (*tuberculous knee joint*). Mae twbercwlosis yn haint defnynnau (*droplet infection*); caiff ei drosglwyddo trwy anadlu dafnau bacterol sy'n cael eu rhyddhau i'r awyr pan fo claf yn peswch neu'n tisian. Erbyn terfyn oes

Fictoria, roedd twbercwlosis yn glefyd endemig ar draws ardaloedd llechi Arfon a Meirionnydd.[3] Roedd yr amodau byw ym mhentrefi'r chwareli yn creu'r amgylchedd perffaith ar gyfer ffyniant y clefyd yn yr ysgyfaint: tai llaith a gorboblog; cyflogau isel yn arwain at bocedi o dlodi; glawiad blynyddol uwch na'r cyffredin ac amodau gwaith a oedd yn arafu ymdrechion i waredu'r clefyd. Yn y cyfnod dan sylw roedd pobl yn grediniol bod aer oer wrth wraidd nifer o afiechydon ac felly'n gwrthod agor ffenestri er mwyn awyru eu tai. Yn hytrach nag atal afiechydon rhag cyrraedd eu cartrefi roeddent yn sicrhau'r amodau delfrydol i ledaenu'r *tubercle bacillus*.[4]

Roedd Ellen yn dioddef o dwbercwlosis nad oedd wedi effeithio yn benodol ar ei hysgyfaint. Yng ngwledydd Prydain, rhwng 1840 a 1920 gwelwyd gostyngiad yn y nifer o farwolaethau yn sgil twbercwlosis yr ysgyfaint *(pulmonary tuberculosis)* ond gwelwyd cynnydd yn y nifer o farwolaethau yn sgil twbercwlosis nad oedd yn effeithio ar yr ysgyfaint, ac ym marn sawl ysgolhaig lledaeniad twbercwlosis mewn gwartheg oedd wrth wraidd y cynnydd.[5] Mae naw math gwahanol o'r *mycobacterium bovis* (y bacteria sy'n achosi twbercwlosis ymhlith gwartheg) â'r gallu i heintio pobl, caiff ei drosglwyddo trwy yfed llefrith amrwd neu trwy fwyta cynnyrch llaeth wedi ei heintio. Tybed a oedd teulu Penceunant yn cadw buwch?

Y driniaeth gyffredin ar gyfer cymalau twbercylaidd oedd gosod y cymal mewn plaster Paris am gyfnod o chwe i wyth wythnos – ond, yn achos Ellen Williams, Penceunant bu'n rhaid torri ei choes hyd at ei chlun.[6] Dychwelodd Ellen i'r ysbyty ym mis Hydref 1894 am fis arall gan nad oedd ei chlwyf wedi llwyr wella.[7] Mae achosion lle mae'r claf yn dychwelyd i'r ysbyty yn pwysleisio natur gymhleth achosion unigol yn ogystal â realiti profiadau o driniaeth. Yn wir, nodwyd ger nodiadau

Ellen y sylw 'special care', sylw nad oedd yn gyffredin yng nghofnodion yr ysbyty.[8]

Yn ôl manylion Cyfrifiad Cenedlaethol 1891 roedd Ellen Williams yn dri deg un mlwydd oed ac yn byw ym Mhenceunant Uchaf, Llanberis, gyda'i gŵr Hugh a thri o blant: Jane a oedd yn dair, Hugh a oedd yn flwydd a William a oedd yn chwe mis oed. Roedd gan y teulu forwyn un ar bymtheg oed o'r enw Elizabeth Williams. Rhestrwyd Hugh, a oedd yn frodor o Fangor, fel 'Stone Mason', deugain oed. Teg fyddai dyfalu mai yn Chwarel Dinorwig yr enillai ei fywoliaeth, ac mai drwy'r cysylltiad hwn y derbyniwyd Ellen i'r ysbyty.

Yr hyn sy'n gwneud hanes Ellen a'i theulu yn rhyfeddol yw lleoliad eu cartref. Mae Penceunant Uchaf wedi ei leoli ar y llwybr sy'n arwain o bentref Llanberis i gopa'r Wyddfa, ac i'w gyrraedd mae gofyn dringo un o elltydd mwyaf serth Dyffryn Peris. Ys gwn i sut y gwnaeth plant ifanc Ellen ymateb wrth weld eu mam yn cyrraedd Penceunant am y tro cyntaf wedi'r llawdriniaeth? Mae hi'n amhosib dychmygu'r caledi a wynebai Ellen wrth iddi geisio magu nythaid o blant mewn bwthyn mor anghysbell a hithau bellach wedi colli ei choes.

Er bod Ellen wedi goroesi ei thriniaeth yn Ysbyty Chwarel Dinorwig, mae'n ymddangos na chafodd hiroes. Erbyn Cyfrifiad 1901, mae Hugh Williams bellach yn ŵr gweddw ac yn byw yn Llainwen Isaf, Llanberis gyda'i blant, Jane (13), Hugh (12), William (11), a phlentyn na chofnodwyd mohono yn y cyfrifiad blaenorol, merch fach bedair oed o'r enw Mary. Gyda genedigaeth Mary ym 1896/7 gellir bwrw amcan bod Ellen wedi marw ryw ben rhwng 1897 a 1901. O ystyried ei chyflwr corfforol, tybed a fu'r straen o eni ei phedwerydd plentyn yn ormod iddi? Does dim cofnod o'i chladdu yng nghofnodion plwyf Llanberis.

'Mrs. Margaret Owen, Hafod Uchaf, Llanberis' (*c.* 1842–1906)

Claf Mewnol
25 Tachwedd 1898 – 11 Chwefror 1899

Treuliodd 'Mrs. Margaret Owen, Hafod Uchaf, Llanberis' gyfnod sylweddol yn yr ysbyty rhwng 25 Tachwedd 1898 ac 11 Chwefror 1899 yn derbyn triniaeth ar gyfer 'necrosis', clefyd sydd ddim yn annhebyg i fadredd neu *gangrene*.[9]

Yn ôl manylion Cyfrifiad 1901, roedd Margaret Owen yn byw yn Hafod Uchaf, Llanberis gyda'i gŵr Hugh a morwyn o'r enw Jane Jones. Roedd Margaret yn 59 mlwydd oed, a Hugh yn 75 mlwydd oed. Mae'n ymddangos nad oedd Margaret yn frodor o Lanberis ac mae hi'n anodd penderfynu ymhle yn union y'i ganwyd; mewn cyfrifiadau gwahanol rhestrwyd Penmorfa, Llanystumdwy a Dolbenmaen fel ei phlwyfi genedigol. Rhestrwyd galwedigaeth Hugh, ei gŵr, fel 'farmer' ac ar yr olwg gyntaf, mae'n ymddangos bod Margaret wedi derbyn triniaeth yn yr ysbyty fel tenant Ystad y Faenol, ond wrth balu trwy fanylion cyfrifiadau cynt mae rhwymau cryfach yn cysylltu teulu Hafod Uchaf a theulu'r Faenol: am sawl blwyddyn bu Hugh Owen yn gweithio fel goruchwyliwr yn Chwarel Dinorwig.

Roedd Hugh 'yn chwarelwr o'i febyd, ac wedi ymddyrchafu yn raddol o fod yn weithiwr cyffredin' i safle goruchwyliwr.[10] Yr oedd yn 'feddianol ar wybodaeth eang, a barn dda... yn wr a llygaid yn ei ben, yn sylwi yn fanwl at ddadblygiad chwarelyddiaeth'.[11] Nodwyd ei fod hefyd 'yn ddiacon gyda y Methodistiaid yn Capel Coch, Llanberis, ac yn meddu y cymeriad moesol disgleiriaf'.[12] Mae hi'n werth nodi bod y dyfyniadau uchod wedi eu codi o bapur newydd *Y Werin*, papur a gynhyrchwyd gan Ryddfrydwyr radical ac iddo dueddiadau llafuraidd. Mae'r ffaith bod y sylwadau hyn wedi eu cyhoeddi ym mhapur *Y Werin*, a hynny yn ystod cyfnod o anghydfod yn y Chwarel, yn adrodd cyfrolau ac yn brawf o gymeriad teg a hynaws gŵr Margaret Owen.

O'r dystiolaeth sydd ar gael yng ngholofnau papurau newydd y cyfnod, mae'n ymddangos bod Hugh Owen wedi bod yn ŵr gweithgar tu hwnt; eisteddai ar Fwrdd Ysgol Dolbadarn, a llywyddai dros liaws o ddigwyddiadau amrywiol o gyfarfodydd llenyddol a Beiblaidd i gystadlaethau siarad cyhoeddus. Roedd hefyd yn ymgyrchydd brwd dros ddirwest ac yn anerchwr rheolaidd mewn cyfarfodydd awyr agored.

Dim ond ambell gyfeiriad yn unig at 'Mrs. Owen' sydd ym mhapurau newydd y cyfnod, ond mae'r sylwadau cryno yn profi ei bod hithau fel Hugh yn weithgar yn y gymuned. Ym 1888 bu Margaret yn rhan o griw a gynhaliodd de parti arbennig i 550 o ddisgyblion Ysgol Bwrdd Dolbadarn ynghyd â deugain o drigolion oedrannus a thlawd yr ardal.[13] Yn ystod Sioe Gynnyrch Llanberis 1892 Margaret oedd yn gyfrifol am feirniadu y cystadlaethau menyn ac wyau.[14] Er nad yw'r ffeithiau uchod yn ymhelaethu ryw lawer ar gymeriad Margaret maent yn cynnig cipolwg i'w bywyd – a'i gallu domestig!

Roedd gan Margaret a Hugh ddau o feibion, Thomas Hugh Owen ac Owen William Owen. Yn groes i draddodiad, ni ddilynwyd Hugh i'r chwarel gan ei feibion. Wedi gorffen ei addysg yn ysgolion Llanberis aeth Thomas ymlaen i Ysgol Clynnog cyn gweithio am gyfnod yn swyddfeydd y masnachwyr coed, David Roberts a'i Fab yn Lerpwl.[15] Ym 1889 mudodd i'r Unol Daleithiau gan ymsefydlu yn Audenried ym Mhennsylvania lle priododd ferch o'r enw Nellie Morgan; ganwyd iddynt bump o blant. Bu Thomas yn gweithio am gyfnod fel clerc yng ngweithfeydd glo y Lehigh & Wilkes-Barre Coal Co., ac yna fel goruchwyliwr yng nglofeydd Buttonwood a Parrish. Bu farw ar 11 Gorffennaf 1917 o glefyd yr arennau.[16]

Penderfynodd Owen William Owen adael Llanberis hefyd. Bu'n byw am gyfnod sylweddol yn Ne Affrica. Ysgrifennai Owen yn rheolaidd at ei fam a'i dad yn Llanberis ac ym 1893 cyhoeddwyd un o'i lythyrau yn *Y Genedl Gymreig* dan y teitl 'Helyntion Cymro yn Affrica'.[17] Ar y pryd, roedd Owen yn gweithio mewn banc yn Barberton, De Affrica. Yn ei lythyr aiff ati i ddisgrifio'r wlad estron i'w rieni trwy dynnu cymariaethau rhwng tirwedd Affrica a thirwedd Eryri.

> Yn y fan hon ni fedrwn beidio meddwl am Bass Llanberis. Yr oedd y mynydd oedd ar bob ochr yn llawer uwch na rhai fy hen gartref ond nid oedd y pellder rhyngddynt fawr fwy nag sydd rhwng yr Elidir Ganol a'r Wyddfa... Buom yn cysgu'r noson hono yn y lle butraf y buom ynddo erioed. Yr oedd beudy'r Hafod Uchaf fel palas yn ymyl y fangre sobr hon.[18]

Mae ei lythyr yn cynnwys ychydig o sylwadau dirmygus ynglŷn â'r Boeriaid hefyd, ac yn cynnig rhagflas efallai o'r tensyniau a ddatblygodd yn y wlad erbyn diwedd y ganrif. Cwynodd mai 'ychydig iawn o ol llafur a welir yn unman; mae y Boer yn rhy ddiog i roddi ei law ar gaib a rhaw hyd yn oed mewn lle fel hyn'.[19] Arhosodd Owen yn Ne Affrica trwy gydol Rhyfel y Böer (1899–1902).

Ar drothwy'r Rhyfel Mawr roedd Owen yn byw yn Llundain ac yn gweithio fel 'Divisional Officer of Labour Exchanges and Unemployment Insurance for Wales'.[20] Mae'n amlwg iddo ddringo trwy rengoedd y llywodraeth ymerodraethol gan gyrraedd penllanw ei yrfa yn ystod y Rhyfel. Ym mis Medi 1914, yn sgil galwadau Canghellor y Trysorlys, David Lloyd George, trefnwyd Cynhadledd

Genedlaethol yng Nghaerdydd gyda'r bwriad o lunio cynllun ar gyfer ffurfio Corfflu y Fyddin Gymreig, gydag Iarll Plymouth yn gweithredu fel Cadeirydd ac Owen William Owen, Hafod Uchaf gynt, fel Ysgrifennydd. Dyma swydd y bu ynddi trwy gydol y Rhyfel Mawr.

Ym mis Mehefin 1901, bu farw Hugh, gan adael Margaret yn wraig weddw. Erbyn 1906, roedd iechyd Margaret hefyd yn pallu. Ym mis Mawrth, roedd hi'n ddrwg gan ohebydd *Gwalia* 'ddeall fod Mrs. Owen, Hafod Uchaf, wedi cael dwy ergyd o'r parlys.'[21] Nid oedd y gohebydd 'yn cofio am gymaint o waeledd yn y ddwy Nant ag sydd yn bresenol'; nododd 'bod amryw mewn oed wedi cael eu caethiwo yn eu gwelyau.'[22] Yng nghanol yr holl waeledd, mae'n debyg bod sgweiar y Faenol, Charles Garden Assheton Smith, a'i wraig Sybil, wedi ymweld â nifer o drigolion llesg Llanberis. Ar 28 Mawrth 1906, 'ymwelodd [Assheton Smith] â Mrs. Owen, Hafod Uchaf, yn ei gwaeledd.'[23] Honnodd gohebydd *Gwalia*, papur newydd â thueddiadau ceidwadol ac ymerodraethol, nad oedd y weithred hon yn un anghyffredin. Mynnodd fod Assheton Smith a'i wraig

> yn talu ymweliad ag ysbytty y chwarel, ond hefyd a thai y chwarelwyr, ac yn cyfranu yn hael i'r rhai a fyddant mewn eisiau... Nid yw yn rhyfedd fod y boneddwr yn cael ei barchu gymaint, nid oblegid ei sefyllfa, ond oblegid ei ymddygiadau caredigol yn ei sefyllfa uchel.[24]

Er gwaethaf ymweliad arbennig Assheton Smith, bu farw Margaret ar 11 Ebrill 1906 yn 64 mlwydd oed. Mae Margaret wedi ei chladdu ym mynwent y plwyf gyda'i gŵr Hugh a'i mab Owen, C.B.E.

Mae hanes Margaret Owen yn adlewyrchu'r awyrgylch o hunanhyder a fodolai, nid yn unig yn ardaloedd llechi'r gogledd ond trwy Gymru gyfan erbyn terfyn oes Fictoria. Nid llechi oedd yr unig gynnyrch a allforiwyd o bentrefi'r chwareli; fe fagodd Hugh a Margaret Owen ddau o feibion uchelgeisiol, beiddgar a rhyngwladol eu golygon.

'Ellen Morris, Hafod Gynfor, Nantperis' (*c.* 1869–1940)

Claf Mewnol
2 Medi 1899 – 5 Medi 1899 (Private Patient)

Ar y cyfan, ychydig fanylion sy'n egluro pam y caniatawyd i'r merched hyn dderbyn triniaeth. Ger sawl achos nodwyd mai cleifion preifat oedd y merched dan sylw, megis 'Ellen Morris, Hafod Gynfor, Nantperis, Private Patient'. Treuliodd Ellen dridiau yn yr ysbyty ym mis Medi 1899, yn derbyn triniaeth ar gyfer tyfiant o dan ei bron; nodwyd bod y meddyg wedi tynnu'r drwg o'r casgliad, a'i bod wedi gwella.[25]

Mae'r disgrifiad 'preifat' yn awgrymu bod y claf wedi talu am y gofal, ond o ystyried sefyllfa teulu Hafod Gynfor, mae hyn yn annhebygol. Yn ôl manylion Cyfrifiad 1881, roedd Ellen yn ferch ddeuddeg oed; roedd ei thad, William Morris – penteulu Hafod Gynfor – yn chwarelwr. Erbyn y Cyfrifiad nesaf, rhestrwyd ei mam, Margaret, fel penteulu'r Hafod gyda'r sylw 'Slate Quarryman's Widow'. Esboniad mwy credadwy yw bod Ellen wedi derbyn triniaeth o achos cysylltiad ei thad, y diweddar William Morris, â'r chwarel.

Bu farw William Morris ar 24 Tachwedd 1886, ac mae'r llith goffa flodeuog (a maith) a gyhoeddwyd yn *Y Goleuad* yn fuan wedi ei farwolaeth yn creu darlun o ŵr duwiol tu hwnt:

> Distaw a gwylaidd oedd yn naturiol, ond yn meddu cymeriad o ddylanwad er daioni. Yr oedd yn feddianol

> ar feddwl aeddfed ac annibynol, wedi casglu ystor o wybodaeth ag oedd yn sail i ni ddisgwyl blynyddau o wasanaeth gwerthfawr oddi wrtho, ond byrhawyd ei nerth ar y ffordd. Yr oedd wedi colli ei iechyd i raddau er's blynyddau, a'r haf diweddaf wedi dioddef mwy nag arfer... Yr wythnosau diweddaf cafodd boenau mawrion pa rai a ddioddefodd yn dawel ac amyneddgar, fel yn ei fywyd felly yn ei ddiwedd, distaw fu hyd y noswaith olaf y bu fyw... Nawdd y nef a fyddo dros ei weddw a'i amddifad a rhoed iddynt ras i efelychu eu tad mewn defnyddioldeb yn ngwasanaeth eu Duw.[26]

Ymhen deg mlynedd, roedd Ellen ei hun yn rhiant; bedyddiwyd ei merch, Jane, ar 17 Ebrill 1896. Disgrifiwyd Jane fel 'the *illegitimate* daughter of Ellen Morris, Hafod Gynfor'. Dyma'r ymadrodd annymunol a ddefnyddiwyd i ddisgrifio plant a anwyd tu allan i briodas. Erbyn heddiw, nid oes modd gwybod pwy oedd tad Jane a chyfaill Ellen, ond mewn cymdogaeth glòs fel Nantperis mae hi'n bur debyg bod trigolion yr ardal yn gwybod yn union pwy oedd tad Jane. Nid oes modd gwybod chwaith pam na phriodwyd Ellen a'i chyfaill ond mae hi'n bosib dyfalu; efallai fod Ellen wedi cael ei swyno neu wedi dioddef trais rhywiol; efallai ei bod wedi godinebu a bod ei chyfaill eisoes yn briod, neu efallai fod eu carwriaeth wedi methu a'i fod wedi gwrthod ei phriodi. Ym 1892, roedd William Morris (ceir ffotograff ohono yng nghanol y gyfrol), brawd mawr Ellen, wedi bod ynghlwm ag achos llys yng Nghaernarfon. Cafwyd Owen Humphreys, Gwastadnant, Nantperis yn euog '[of] an aggravated assault upon William William Morris, Hafod Gynfor, Nant Uchaf, Llanberis'.[27] Roedd Owen wedi taro William yn ei wddf ac wedi ei gicio yn ei lygaid. Tybed a wnelo'r achos llys yma rywbeth ag Ellen?

Beth bynnag fo'r amgylchiadau, erbyn 1895 roedd Ellen mewn tipyn o dwll. Mewn cymdeithas a oedd yn ystyried priodas fel yr unig sail i ffurfio teulu parchus, gosodwyd mamau a'u plant 'anghyfreithlawn' ar y cyrion: yn brawf gweledol ym marn yr oes o foesau llac y fam ac yn destun cywilydd i'w theulu cyfan.

Er gwaetha'r gwarth a oedd yn gysylltiedig â magu plentyn anghyfreithlon, mae cofnodion yn dangos bod teulu Ellen wedi ei chefnogi. Yn ôl manylion Cyfrifiad 1901, roedd Jane a oedd bellach yn bum mlwydd oed yn byw yn yr Hafod gyda'i mam, Ellen, ei nain, Margaret, a dau o frodyr ei mam, William a Morris.

Roedd Ellen yn un o blith nifer o ferched a fedyddiodd blant anghyfreithlon ym mhlwyf Llanberis ar droad y ganrif:

William, the illegitimate son of Hannah Williams (Glanrafon Terrace, Nantperis)
Robert Josiah, the illegitimate son of Hannah Williams (Glanrafon Terrace, Nantperis)
Robert Arthur, the illegitimate son of Jane Williams (5 Bethesda Street, Llanberis)
Gwilym, the illegitimate son of ... Jones (Ty'n Twll, Nantperis)
Christmas Thomas, the illegitimate son of Elizabeth Jane Jones (5 Charlotte St., Llanberis)
Arthur Williams, the illegitimate son of Laura Owen (Hafodty, Llanberis)
Harriett, the illegitimate daughter of Ellen Evans (Talgau, Nantperis)
Margaret Mary, the illegitimate daughter of Margaret Williams (Charlotte St., Llanberis)
Carrol Desmond Walker, the illegitimate son of Jennie Walker (Caermeinciau, Llanberis)

Ceridwen, the illegitimate daughter of Ann Phillips (Stamps, Nantperis)

John Robert, the illegitimate son of Catherine Ellen Jones (Yankee St., Llanberis)

Rhoda Florence Maud, the illegitimate child of Hugh Pritchard (Ogwen Terrace, Llanberis) and Elizabeth Agnes Annie Williams (17 Ashton Terrace, Caernarfon)

Lizzie, the illegitimate daughter of Anne Jane Jones (Glanrafon Terrace, Nantperis)

Morris Peris, the illegitimate son of Ellen Ellis Jones[28] (Tan y Bryn, Nantperis)

Elizabeth, the illegitimate daughter of Sarah Ellis (Gellihirbant, Nantperis)

Ceridwen Eilian, the illegitimate daughter of Myfanwy Ellen Roberts (Llwyn Eilian, Llanberis)

Mary, the illegitimate daughter of Anne Jane Jones (Glanrafon Terrace, Nantperis)

Maggie, the illegitimate daughter of Margaret Jane Jones (Ty'n Twll, Nantperis)

Griffith, the illegitimate son of Eliza Ann Owen (Tan y Gadlas, Nantperis)

Elizabeth Catherine, the illegitimate daughter of Dora Jones (Blaenddol, Llanberis)

Tudor Owen, the illegitimate son of Mary Ellen Thomas (Bens, Nantperis)

Mary Jane, the illegitimate daughter of Anne Roberts (3 Yankee St., Llanberis)

Myfanwy Ellen Jones, the illegitimate daughter of … (Stamps, Nantperis)

Mae cofnodion bedyddio plwyf Llanberis yn awgrymu bod genedigaethau anghyfreithlon yn gymharol gyffredin ac mewn sawl achos ni chefnodd teuluoedd y mamau ifanc arnynt. Yn hytrach, mae tystiolaeth yn profi bod y mamau uchod wedi cael aros yn eu cartrefi genedigol i fagu eu plant ac felly wedi derbyn cefnogaeth a chymorth eu rhieni.

Mae Ellen a'i mam Margaret wedi eu claddu ym mynwent y plwyf yn Nantperis; bu farw Margaret Morris, 'yr hen fam weddw', ar 16 Ebrill 1916, yn 77 mlwydd oed.[29] Hunodd Ellen ar 12 Rhagfyr 1940 yn 71 mlwydd oed. Ar ei charreg fedd mae'r llinell: 'Ei hun mor dawel yw.' Mae hanes Ellen Morris a'r mamau eraill a fagodd blant 'anghyfreithlon' nid yn unig yn cyfoethogi ein darlun o'r gymuned chwarelyddol, maent hefyd mewn gwirionedd yn herio ein delwedd ddisgwyliedig o safonau 'parchusrwydd' y broydd llechi Anghydffurfiol.

'Mrs. Davies, Bron Elidir, Dinorwic' (*c.*1849 – ?)

Claf Mewnol
2 Rhagfyr 1899 – 3 Ionawr 1900
24 Mawrth 1900 – 7 Ebrill 1900 (Charity Patient)

Mewn nifer o achosion nid oes cofnod o enw cyntaf y cleifion benywaidd. Rhoddir pwyslais ar y ffaith eu bod yn wragedd priod, pwyslais sydd efallai yn awgrymu mai trwy gysylltiad eu gwŷr â'r chwarel maent yn derbyn triniaeth. Un achos yw 'Mrs. Davies, Bron Elidir, Dinorwic' a dreuliodd dros fis yn yr ysbyty yn Rhagfyr 1899 i dderbyn triniaeth ar gyfer troed dde dwbercylaidd; dychwelodd yno am bythefnos ym mis Mawrth 1900.[30]

Pan ddarllenais nodiadau meddygol Mrs Davies dechreuodd yr enw 'Bron Elidir, Dinorwic' ganu cloch; cefais fy atgoffa o hanes bachgen o'r enw Charles Davies, Bron Elidir. Ar 1 Gorffennaf 1899, roedd Charles Davies, Bron Elidir yn un o blith deuddeg o breswylwyr Dinorwig a foddodd ym Mhwllheli ar drip ysgolion Sul yr Eglwys.[31]

Treuliodd Mrs Davies y Nadolig cyntaf heb Charles fel claf mewnol yn Ysbyty Chwarel Dinorwig.

Trwy ddefnyddio enw Charles roedd modd dod o hyd i fwy o wybodaeth am ei fam, 'Mrs Davies'. Yn ôl manylion Cyfrifiad 1891, roedd Charles Davies yn fachgen pum mlwydd oed ac yn byw ym Mron Elidir (Elidir View) gyda'i Dad, Richard Davies, 'Slate Quarry Onlooker', ei chwaer fawr Margaret, morwyn o'r enw Catherine Thomas, a'i fam, Jane. Rhestrwyd holl aelodau teulu Davies, Bron Elidir fel siaradwyr uniaith Gymraeg, ac eithrio Jane; nodwyd ei bod hi'n medru'r Saesneg a'r Gymraeg. Ys gwn i pam?

Ganed Jane Davies (*née* Jones) yn Ysgoldy Dinorwig tua'r flwyddyn 1849 a chyn ei phen-blwydd yn ddeuddeg mlwydd oed roedd ei thad, John – brodor o Langristiolus ym Môn – eisoes yn ei fedd. Yn y cyfnod Fictoraidd, wrth i nifer o ferched ifanc dreulio amser yn gweini ar aelwydydd Saesneg eu hiaith, roedd gan ferched ar y cyfan well dealltwriaeth o'r Saesneg na bechgyn o'r un oed. Er hynny, mae'n ymddangos nad yng nghwmni teulu Seisnig yn gweini y meistrolodd Jane yr iaith fain. Ym mis Rhagfyr 1869, penodwyd 'Miss J. Jones, Ysgoldy Dinorwig' yn athrawes yn Ysgol Dinorwig; mae'n amlwg bod Jane yn ferch gymharol academaidd.[32] Rhoddodd y gorau i ddysgu ym 1880 pan briododd ei gŵr, Richard Davies, bu'r pâr yn byw am gyfnod yn 2 Stryd Newton, Llanberis, cyn symud yn ôl i Ddinorwig yn ystod yr 1880au. Ganed eu merch Margaret ym 1881 ac mae'n ymddangos ei bod, gydag amser, fel ei mam wedi meistroli'r Saesneg hefyd. Ym mis Ionawr 1897 enillodd ddwy gystadleuaeth cyfieithu yng nghyfarfod 'adloniadol' Llandinorwig; nododd y gohebydd y byddai Margaret yn 'gyfieithwraig dda ryw ddiwrnod yn y ddwy iaith'.[33]

Chwe mis wedi claddu ei hunig fab, Chales, bu'n rhaid i Jane wynebu cynhebrwng arall: claddwyd ei gŵr, Richard

Davies, ym mynwent Eglwys y Santes Fair ar 15 Chwefror 1900.[34] Fis yn gynharach roedd Richard wedi cael 'damwain ddifrifol... pan yn dychwelyd o'r chwarel ar noson dywell gydag un arall o'r enw John Hughes... syrthiodd y ddau i lawr clogwyn yn cynwys rhai llatheni o ddyfnder'.[35] Bu farw John 'yn mhen diwrnod neu ddau ar ol y ddamwain yn yr ysbytty perthynol i'r chwarel'.[36] Pan archwiliwyd Richard

> cafwyd allan ei fod wedi tori asgwrn yn mhont ei ysgwydd, ac wedi cael ysigiad drwyddo. Gwellhaodd er hyny yn bur dda... ond cwynai o hyd gan ryw boen yn ei ochr... prydnawn ddydd Sadwrn Chwefror 10fed, bu farw.[37]

Disgrifiwyd Richard Davies fel 'goruchwyliwr hynaf Chwarel Dinorwig... a thad Charlie, y bachgen bychan, tawel a thalentog hwnw, yr hwn oedd yn un o'r deuddeg trueiniaid a gyfarfyddasant a'u diwedd ym Mau Pwllheli Gorphenaf 1af, 1899, trwy dymchweliad cwch'.[38] Gofynnodd y gohebydd, 'Pwy o'r miloedd ddaeth i'r cynhebrwng mawr hwnw yn Llandinorwig oedd yn meddwl y byddai Mr. Davies yn gorphwys yn ymyl ei anwylyn Charlie mor fuan?'[39]

Ni ellir ond dychmygu'r galar a wynebai Jane wrth iddi geisio dygymod â'i cholled a hynny yn ystod cyfnod o wendid. Fis wedi colli ei gŵr, mae Jane yn ôl yn yr ysbyty am yr ail waith; y tro hwn caiff ei disgrifio fel 'charity case'.[40] Mae'n amlwg nad oedd awdurdodau'r ysbyty wedi anghofio am wasanaeth ei gŵr na chwaith am farwolaeth ei mab. Mae hanes Jane Davies yn enghraifft drawiadol o freuder bywyd yr oes ac yn dangos y modd y gwyrdrowyd bywydau merched yn sgil marwolaeth cymar neu berthynas.

'Mrs. Jones, Tanymarian'

Claf Mewnol
9 Awst 1902 – 30 Awst 1902

Gydag enw mor gyffredin â 'Mrs. Jones' mae hi wedi profi'n amhosibl dod o hyd i unrhyw wybodaeth gadarn amdani. Mi ddes i o hyd i un Mrs Margaret Jones yn byw yn rhes Tanymarian yng Nghwm-y-glo ym 1901. Roedd Margaret yn wraig weddw 54 mlwydd oed ac yn frodor o blwyf Llanrug. Tybed ai'r Mrs Jones yma a dderbyniwyd i'r ysbyty yn ystod haf 1902? Er gwaetha'r ffaith nad oes gen i ryw lawer i'w ddyfynnu am fywyd Mrs Jones, mae'r sylwadau a gawn yng nghofnodlyfrau'r ysbyty yn werth eu trafod.

Ym mis Awst 1902 derbyniodd 'Mrs. Jones, Tanymarian,' driniaeth i godi bron (*radical mastectomy*); treuliodd ychydig dros bythefnos yn yr ysbyty. Ym 1882, perfformiwyd y mastectomi radical cyntaf erioed gan lawfeddyg o'r enw William Halsted. Mae camp Halsted yn cynrychioli carreg filltir sylweddol yn hanes triniaeth cancr y fron; cyn ei ddyddiau ef roedd gan lawfeddygon y dewis o un ai ymatal rhag trin claf neu geisio tynnu'r fron mewn dull a oedd yn hynod boenus ac aneffeithiol.[41] Erbyn troad yr ugeinfed ganrif roedd mastectomi yn bell o fod yn fendith ddi-grefft; yn y cofnodlyfr, ger y sylw sydd yn nodi bod Mrs Jones wedi goroesi'r driniaeth ceir ebychnod ('!'), sylw sy'n cadarnhau camp a meistroldeb llawfeddyg Dinorwig.[42] Mae hi'n eithriadol o anodd credu bod y fath driniaeth wedi cael ei gweinyddu mewn ysbyty a oedd wedi ei adeiladu ar gyfer gweithwyr diwydiannol, gwrywaidd.

Mae hi'n werth nodi nad oedd y mwyafrif o'r gwragedd a dderbyniwyd i'r ysbyty yn wragedd i chwarelwyr 'cyffredin' na chwaith yn gorfod goroesi ar gyflog chwarelwr cyffredin. Roedd gan Ellen Williams, Jane Davies a Margaret Owen oll forwynion ifanc yn byw ar eu haelwydydd. Er gwaetha'r incwm ychwanegol, roedd bywyd yn parhau'n anodd.

Mae gosod chwyddwydr ar fywydau merched unigol yn sicrhau golwg werthfawr ar y cyfnod a'r gymuned yn eu cyfanrwydd. Ond yn bwysicach fyth, roedd y merched hyn yn llawer mwy nag enwau ar bapur. Buont unwaith yn blant ym mreichiau eu mamau; yn ferched ifanc mewn cariad; yn galaru am riant; yn dathlu'r Nadolig. Gwyddent am y boen o eni plant; sut i wylo a sut i chwerthin. Maent yn llwyr haeddu eu lle rhwng cloriau ein llyfrau hanes.

Nodiadau

1. Jones, *The North*, t. 41.
2. GAG DQ/1707
3. Mae enwau eraill ar yr haint yn cynnwys: y ddarfodedigaeth, *consumption*, y pla gwyn, diciâu, decay, a TB.
4. Glynne Roberts, 'Sickness and Health in Caernarfonshire 1870–1939' yn Pamela Michael a Charles Webster (goln), *Health and Society in Twentieth-Century Wales* (Caerdydd, 2006), t. 65.
5. P. J. Atkins, 'Milk consumption and tuberculosis in Britain, 1850–1950', yn A. Fenton (gol.), *Order and Disorder: the health implications of eating and drinking in the nineteenth and twentieth centuries* (Caeredin, 2000), t. 89.
6. GAG DQ/1707
7. GAG DQ/1707
8. GAG DQ/1707
9. GAG DQ/1707
10. *Y Werin*, 2 Ionawr 1886, t. 3.
11. Ibid.
12. Ibid.
13. *Carnarvon and Denbigh Herald*, 7 Medi 1888, t. 5.
14. Ibid., 26 Awst 1892, t. 8.
15. *Y Drych*, 6 Medi 1917, t. 5.
16. Ibid.
17. *Y Genedl Gymreig*, 24 Hydref 1893, t. 6.

18. Ibid.
19. Ibid.
20. *Y Drych*, 6 Medi 1917, t. 5.
21. *Gwalia*, 20 Mawrth 1906, t. 3.
22. Ibid.
23. Ibid., 3 Ebrill 1906, t. 3.
24. Ibid.
25. GAG DQ/1707
26. *Y Goleuad*, 11 Rhagfyr 1886, t. 10.
27. *Carnarvon and Denbigh Herald*, 8 Ionawr 1892, t. 4.
28. Mae ffotograff o Ellen yng nghanol y gyfrol.
29. *Gwalia*, 18 Rhagfyr 1906, t. 3.
30. GAG DQ/1707
31. Gweler cyfrol arbennig Idris Thomas, *Pêl goch ar y dŵr, Hanes trychineb Ysgol Sul Dinorwig* (Llanrwst, 1999)
32. *Baner ac Amserau Cymru*, 11 Rhagfyr 1869, t. 7.
33. *Y Llan*, 22 Ionawr 1897, t. 5.
34. *Gwalia*, 20 Chwefror 1900, t. 8.
35. Ibid.
36. Ibid.
37. Ibid.
38. Ibid.
39. Ibid.
40. GAG DQ/1707
41 James S. Olson, *Bathsheba's Breast: Women, Cancer & History* (Llundain, 2002), t. 67.
42. GAG DQ/1707

Meddygon Ysbyty Chwarel Dinorwig

Robert Roberts, Isallt, 'Doctor Roberts Chwarel'

Y llawfeddyg cyntaf a gofnodwyd yn y chwarel oedd Robert Roberts.[1] Roedd yn aelod o deulu meddygon esgyrn adnabyddus Isallt, teulu a fu'n 'gwasanaethu'n fedrus am genedlaethau lawer yn sir Feirionnydd a sir Gaernarfon yn nglyn a'r prif chwarelau llechi'.[2]

Cartref hynafol a chydenw'r teulu yw ffermdy Isallt Fawr yng Nghwm Pennant, er ei bod yn ymddangos na fu Robert yn byw yno. Mudodd ei dad a'i fam, John a Mary Roberts, o Isallt i Gae'r Gors, Beddgelert ychydig flynyddoedd cyn ei enedigaeth ym 1786. Tua'r flwyddyn 1810 priodwyd Robert Roberts ac Ellen, merch Cadwaladr Roberts, Grugan Ddu, Llandwrog.[3] Bu'r pâr yn byw am gyfnod yn Ty'nlan, Beddgelert. Ganed iddynt naw o blant: Mary, John, Margaret, Jane, Alice, Mary (arall!), William, Gruffydd a Robert.[4] Roedd John a Margaret, fel eu tad, yn 'feddygon' uchel eu parch. Priododd Margaret ŵr o bentref Dinorwig o'r enw Howell Parry, a symudodd y pâr i ardal Porthmadog lle'r oedd ganddi enw da fel 'llawfeddyges ragorol'. Yn ôl pob sôn, 'cyrchid ati o bob parth, gyda briwiau o bob math'.[5] Bu John yn 'arfer y gelfyddyd o lawfeddyg gyda'i dad, er yn ieuanc iawn;' roedd gan ei wraig Elizabeth neu Betsan 'yr un gallu a'i gwr, a bu yn ei gynorthwyo am bum' mlynedd ar hugain, gan drin clwyfau mawrion a bychain, ac yr oedd ei llaw mor ysgfan fel yr oedd y chwarelwyr yn ei dewis hi o flaen neb arall i drwsio eu clwyfau'.[6]

Ym 1814 symudodd Robert Roberts a'i wraig Ellen i Lanberis. Darparodd wasanaeth o'i gartref ac enillodd barch y chwarelwyr. Disgrifiwyd ef fel gŵr 'o dymer hynod siriol, hynaws a charedig dros ben; ni byddai dim yn ormod ganddo ei wneyd i'r cleifion, miloedd o ba rai yn ardaloedd Llanberis'.[7] Er nad oedd Robert Roberts yn feddyg cymwys, roedd ei 'allu'n rhyfeddol', yn arbennig, fel y dywedodd un cofianydd, 'ag ystyried nad oedd wedi cyfaddasu ei hun drwy arholiad at y gwaith'.[8] Ym 1858 newidiodd Deddf Cofrestru Meddygon y dull o gynnig triniaeth feddygol; roedd hi bellach yn ofynnol i feddygon gofrestru a hynny yn dilyn cyfnod o hyfforddiant ffurfiol. O dan amodau'r ddeddf roedd gan feddygon a oedd wedi bod yn gwasanaethu ers dros bymtheg mlynedd yr hawl i wneud cais i gofrestru. Ceisodd Robert Roberts wneud cais 'ond oherwydd cenfigen rhai o'r frawdoliaeth feddygol' ni lwyddodd.[9] Er gwaetha'r ffaith nad oedd yn feddyg cofrestredig, parhaodd i wasanaethu fel meddyg esgyrn yn Ninorwig hyd ei farwolaeth ym 1875 yn 89 mlwydd oed.

Mae gan feddygon esgyrn le pwysig yn hanes a diwylliant gogledd Cymru. Mewn cymdeithas amaethyddol byddai anafiadau i gymalau yn bygwth bywoliaeth teuluoedd cyfan; roedd derbyn triniaeth feddygol safonol yn eithriadol bwysig. Roedd meddygon esgyrn yn llwyddo i ystwytho esgyrn a'u hasio gan sicrhau bod y claf yn gwella. Byddai unigolion yn dysgu'r grefft trwy fwrw prentisiaeth gyda meddyg esgyrn profiadol, trosglwyddwyd dulliau a gwybodaeth yn aml o un genhedlaeth i'r llall ac roedd rhai teuluoedd – fel teulu

Isallt – yn adnabyddus am eu doniau meddygol arbennig.

Erbyn 1871, pryderai'r meddyg Wharton P. Hood fod meddygon esgyrn 'who, on account of the extraordinary advance in the art of surgery, are not... held in sufficient estimation amongst the higher orders of society'.[10] Nododd y meddyg ei fod, ar sawl achlysur, wedi clywed unigolion yn cyfeirio at feddyg esgyrn 'as a mere quack'; teimlai nad oedd y disgrifiad hwn yn un teg:

> because a quack is generally considered as one devoid of professional education... But not so the bone-setter, whose extensive and almost incessant... practice – daily and assiduous practice – is what renders him so successful in the most complicated cases.[11]

Yn dilyn marwolaeth Robert Roberts ym 1875 mi byddai'r gwahaniaeth barn am werth meddygon esgyrn anghymwys yn codi ei ben yn Ninorwig hefyd.

Dr Hugh Rees

Ym 1875, penodwyd Dr Hugh Rees yn Brif Lawfeddyg Ysbyty Chwarel Dinorwig. Roedd Dr Rees wedi ennill ei gymwysterau meddygol yn Ysbyty Coleg Prifysgol Llundain ym 1857.[12] Wedi graddio bu'n gweithio am gyfnod fel llawfeddyg yn Ysbyty Caer.

Ym mis Ebrill 1875, adroddwyd ym mhapur newydd *The North Wales Chronicle* '[that] Hugh Rees of Llanberis, has found himself obliged to resign a lucrative appointment held by him as surgeon of the Dinorwic Quarry'.[13] Ymddiswyddodd Dr Rees yn dilyn penderfyniad pwyllgor Cymdeithas Cronfa Chwarelau Dinorwig i sicrhau bod meddyg esgyrn lleol yn ymweld â'r ysbyty o leiaf unwaith yr wythnos, os nad yn amlach, 'and should attend to the surgical treatment of any of Mr. Rees' patients who wished for his services'.[14]

Gwrthododd Dr Rees gydweithio â meddyg esgyrn; yn hytrach, fe ymddiswyddodd er mwyn osgoi, yn ei eiriau ef, 'the indignity of acting in concert with an unqualified quack'![15]

Dr Thomas Hughes

Ganed Thomas Hughes yn Dinam Bach ym mhentref Caergeiliog, ger Caergybi, Môn ym 1835.[16] Tua'r flwyddyn 1852, dechreuodd ar gyfnod o brentisiaeth gyda'i ewythr, Dr William Jones. Wedi pedair blynedd o hyfforddiant enillodd gymhwyster M.R.C.S (Membership of the Royal College of Surgeons). Wedi cymhwyso treuliodd gyfnod yn gweithio yn Ysbyty Llygaid Glasgow cyn symud yn ôl i Fôn a setlo yn nhref Amlwch. Yno, tua'r flwyddyn 1860 priododd Dr Hughes ferch o'r enw Mary Sydney, a ganed iddynt nythaid o ferched: Catherine, Mary, Sydney, Margaret, Grace ac Elin. Yn ystod ei gyfnod yn Amlwch ac wedi iddo ennill gradd M.D. (Doctor of Medicine) o Goleg St. Andrews ym 1862, penodwyd Dr Hughes yn Brif Lawfeddyg Mwynglawdd Copr Mynydd Parys.[17]

Ym mis Mai 1875 penodwyd Dr Thomas Hughes yn Brif Lawfeddyg Ysbyty Chwarel Dinorwig. Symudodd Dr Hughes, ei wraig Mary a'u merched i fyw i Hafodty, cartref y meddyg. Bu'n gwasanaethu yn Ninorwig am bymtheg mlynedd hyd ei farwolaeth ddisymwth ym 1890. Yn dilyn ei farwolaeth, disgrifiwyd Dr Hughes fel

> a well known and very successful practitioner, and as a surgeon of the Dinorwic Quarries Hospital for many years he had made himself exceedingly popular among the quarrymen and in the neighbourhood.[18]

Robert Herbert Mills Roberts

Does dim amheuaeth mai'r meddyg enwocaf a wasanaethodd yn Ninorwig yw R. H. Mills Roberts. Penodwyd ef yn Brif Lawfeddyg Ysbyty Chwarel Dinorwig ym mis Gorffennaf 1890. Bu'n byw am gyfnod yn Hafodty, cartref traddodiadol llawfeddyg yr Ysbyty, ond symudodd i Fodafon (tafarn yr Heights erbyn heddiw) yn Llanberis ym 1896. Er iddo ennill dyrchafiad i'r teitl 'Mr' ym 1893, fel 'Dr Mills' y cyfeiriwyd ato bob amser gan chwarelwyr a thrigolion lleol.

Ganwyd Robert Herbert Mills Roberts, mab hynaf Robert Roberts a'i wraig Mary Mills Roberts, ym Mhenmachno ar 5 Awst 1862. Ychydig wythnosau wedi ei enedigaeth symudodd y teulu i Ffestiniog lle bu'r tad, Robert Roberts – wedi cyfnod byr yn gweithio fel Ysgolfeistr Ysgol Llwyn-y-gell – yn gweithio fel cyfrifydd yn Chwareli Oakeley. Cafodd Robert Mills Roberts ei addysg elfennol yn Ysgol Llwyn-y-gell, ac yn ôl cofnodion yr ysgol roedd Robert yn fachgen bach bywiog a drygionus.[19] Yn un ar ddeg mlwydd oed enillodd 'dystysgrifau mewn Daearyddiaeth Anianyddol a Daeareg, yn arholiad Gwyddor a Chelf'.[20] Aeth ymlaen i Ysgol Friars ym Mangor lle bu'n gapten y tîm pêl-droed ym 1878. Tra oedd yn ddisgybl yn Ysgol Friars enillodd Mills Roberts 'Mathematical Scholarships o ddeugain punt y flwyddyn am dair blynedd yn Ysgol Rammadegol Salisbury', ond yn ôl dymuniad ei dad, arhosodd ym Mangor, cyn mynd yn ei flaen i astudio yng Ngholeg Prifysgol Aberystwyth.[21] Rhwng 1879 a 1881 bu'n chwarae pêl-droed i dîm y dref tra ar yr un pryd roedd yn gapten timau pêl-droed a rygbi'r Brifysgol.

Ym 1882, dechreuodd Mills Roberts astudio ar gyfer cymhwyster meddygol yn Ysbyty St. Thomas yn Llundain. Yn ystod ei gyfnod yn Llundain, adroddwyd ei fod 'trwy ei yni a'i ledneisrwydd' wedi llwyddo i ennill 'ffafr a chymeradwyaeth drylwyr pawb y deuai i gyffyrddiad â hwy'. [22] Wedi graddio enillodd brofiad ymarferol mewn sawl ysbyty amrywiol gan gynnwys Ysbyty Caerlŷr, Ysbyty Brenhinol Caerfaddon, Ysbyty De Dyfnaint a Dwyrain Cernyw ac Ysbyty Cyffredinol Birmingham. Yn ystod ei gyfnod yn Birmingham y dechreuodd Mills Roberts chwarae i un o dimau pêl-droed amlyca'r cyfnod – Preston North End, neu 'Proud Preston' fel y cyfeiriwyd atynt bryd hynny. Bu'n cadw gôl i'r tîm adnabyddus am sawl tymor. Colli o 2 gôl i 1 yn erbyn West Brom yn ffeinal Cwpan yr FA fu'r hanes ym 1888, ond y flwyddyn ganlynol fe enillwyd y gwpan yn erbyn y Wolverhampton Wanderers o 3 gôl i ddim. Mae'r ffaith na sgoriwyd yn eu herbyn yn y ffeinal na chwaith mewn unrhyw gêm gwpan y tymor hwnnw yn fesur o allu arbennig Mills Roberts fel gôl-geidwad. Chwaraeodd hefyd dros Gymru rhwng 1885 a 1892; enillodd wyth cap dros ei wlad. Yn naturiol, bu ei bresenoldeb yn Llanberis yn hwb mawr i'r pentrefwyr sefydlu tîm; sefydlwyd tîm Llanberis (Y Darans) ym 1890 gan ei wneud yn un o dimau pêl-droed hynaf y gogledd.

Bu Mills Roberts hefyd yn gweithio fel meddyg personol i deulu'r Faenol. Ym 1904, gyda George William Duff Assheton Smith ar ei wely angau, bu Mills Roberts yno'n gofalu amdano ac yn gwmni iddo hyd y diwedd.[23] Treuliai amser hefyd yn teithio gyda'r teulu. Ym mis Ebrill 1906 cafodd y meddyg y pleser o ymuno â Charles Garden Assheton Smith a'i wraig Sybil ar 'wibfordwyaeth i For Mawr y Canoldir, gan ymweld a Venice a lleoedd eraill o ddyddordeb ar y glannau'.[24]

Yn ogystal â meddygaeth a phêl-droed roedd gan Mills Roberts ddiddordeb mawr yn y fyddin. Am flynyddoedd lawer bu'n Brif Swyddog Cangen Gwirfoddolwyr Llanberis a gyda chaniatâd teulu'r Faenol fe dreuliodd gyfnodau'n gwasanaethu dramor. Ym mis Hydref 1900 gwelwyd dathliadau mawr yn Llanberis pan ddychwelodd Mills Roberts wedi cyfnod yn gwasanaethu yn yr Ysbyty Cymreig yn Ne Affrica fel rhan o ymgyrch Rhyfel y Böer. Yn ôl gohebydd y *Carnarvon and Denbigh Herald,*

> the doctor was warmly welcomed and escorted to an open carriage outside. To this was attached by a rope, and it was dragged through the streets by scores of willing and strong young quarrymen. Led by the band, whilst the populace shouted itself hoarse, the vast procession wended its way through the village... where, surrounded by the torches, the carriage was brought to a halt just opposite the residence of Dr Mills Roberts.[25]

Ym 1915 gadawodd bentref Llanberis unwaith eto; y tro hwn, ymunodd â Chorfflu Meddygol Brenhinol y Fyddin yn Ffrainc lle gwasanaethodd yn gyntaf fel Prif Swyddog Gwasanaeth Ambiwlans Maes 131, 38ain Adran Gymreig ac yna fel Pennaeth y 41ain Ysbyty Sefydlog. Bu'n trin milwyr yn rhai o brif frwydrau Ffrynt y Gorllewin gan gynnwys y Somme a Thrydydd Cyrch Ypres – neu Passchendaele fel y'i gelwir yn aml.[26] Ni ddychwelodd Mills Roberts i Lanberis wedi'r rhyfel; ym 1919 symudodd i Gaer lle bu'n gweithio fel Dirprwy Gomisiynydd Gwasanaethau Meddygol Gogledd Cymru a Swydd Amwythig, swydd y bu ynddi hyd 1924.[27]

Bu farw mewn cartref gofal yn Bournemouth ar 27 Tachwedd 1935.

Nodiadau

1. Mae'r ffeithiau sydd gennym amdano ef a'i deulu fymryn yn niwlog, gydag adroddiadau gwahanol yn nodi dyddiadau a ffeithiau sy'n gwrth-ddweud ei gilydd.
2. *Yr Herald Cymraeg*, 28 Mawrth 1905, t. 2.
3. *Y Drych*, 30 Gorffennaf 1885, t. 2.
4. Bu farw eu merch hynaf, Mary, yn ifanc. Yn y cyfnod Fictoraidd nid anghyffredin oedd enwi plentyn iau ar ôl plentyn hŷn a oedd eisoes wedi marw.
5. *Y Drych*, 30 Gorffennaf 1885, t. 2.
6. *Yr Herald Cymraeg*, 15 Medi 1914, t. 6.
7. *Y Drych*, 30 Gorffennaf 1885, t. 2.
8. Ibid.
9. *Yr Herald Cymraeg*, 15 Medi 1914, t. 6
10. Wharton P. Hood, *On Bone-setting, So Called, and Its Relation to the Treatment of Joints Crippled by Injury, Rheumatism, Inflammation &c. &c.* (Llundain, 1871) t. 60.
11. Ibid., tt. 60–1.
12. Davies, *The North*, t. 262.
13. *The North Wales Chronicle*, 3 Ebrill 1875, t. 7.
14. Ibid.
15. Ibid.
16. *Carnarvon and Denbigh Herald*, 16 Mai 1890, t. 5
17. *The North Wales Chronicle*, 18 Hydref 1862, t. 11.
18. *Carnarvon and Denbigh Herald*, 16 Mai 1890, t. 5
19. Davies, *The North*, t. 265.
20. *Baner ac Amserau Cymru*, 23 Gorffennaf 1890, t. 13.
21. Ibid.
22. Ibid.
23. *The Chester Courant and Advertiser for North Wales*, 2 Tachwedd 1904, t. 4.
24. *Gwalia*, 3 Ebrill 1906, t. 3.
25. *Carnarvon and Denbigh Herald*, 26 Hydref 1900, t. 5.
26. Jones, *Dinorwic*, t. 112.
27. *The British Medical Journal*, 2, 3910 (14 Rhagfyr 1935), t. 1182.

George William Duff Assheton Smith (1848–1904),
tua'r flwyddyn 1873.
© Gwasanaeth Archif Gwynedd

George William Duff Assheton Smith ar achlysur ei briodas ef a Laura Alice Stanhope Jones ym 1888.
© Gwasanaeth Archif Gwynedd

Chwarel Dinorwig tua'r flwyddyn 1896. © Gordon Casbeard

Ponciau anferthol Dinorwig tua'r flwyddyn 1896, sylwer y cwt mochel yng ngwaelod y ffotograff. © Gordon Casbeard

Crefftwyr y Gilfach Ddu tua'r flwyddyn 1896.
© Gordon Casbeard

Chwarelwyr Ponc Swallow ym 1907. © Amgueddfa Cymru

Swyddogion Chwarel Dinorwig tua'r flwyddyn 1896; y gŵr talaf yn y canol hefo mwstas trawiadol a llaw lawr ei drowsus ydi W. W. Vivian, Prif Reolwr a Chyfarwyddwr y Chwarel. © Gordon Casbeard

Chwarelwyr o flaen 'gwaliau', casgliad o gytiau lloches syml lle holltwyd llechi tua'r flwyddyn 1896. © Gordon Casbeard

Chwarelwyr Dinorwig yn ystod yr 1890au.
© Norah O'Brien & Amgueddfa Cymru

Criw o chwarelwyr ifanc tua'r flwyddyn 1900.
© Menter Fachwen

Ffotograff personol a dynnwyd yn ystod ymweliad â'r fro ym mis Awst 1904. © Menter Fachwen

Holltwyr a Naddwyr llechi Dinorwig tua'r flwyddyn 1896. © Menter Fachwen

Chwarelwyr Dinorwig ar lannau Llynnoedd Padarn a Pheris ym 1896. © Gwasanaeth Archif Gwynedd

Criw o chwarelwyr tua'r flwyddyn 1896.
© Gordon Casbeard

Hogia' Dinorwig Nadolig 1908.
© Amgueddfa Cymru

Tîm Preston North End 1888-9, yn y rhes gefn, yr ail o'r dde: Robert Herbert Mills Roberts, Priflawfeddyg Ysbyty Chwarel Dinorwig yn y cyfnod 1890-1914. © Alamy

Trigolion Dyffryn Peris ar Lyn Padarn yn ystod gaeaf caled 1895-6. © Gwasanaeth Archif Gwynedd

Stryd Fawr Llanberis tua'r flwyddyn 1910.
© The Keasbury-Gordon Photograph Archive

Stryd Fawr Ebenezer (Deiniolen) tua'r flwyddyn 1910.
Trwy garedigrwydd Emyr Gruffudd.

Ceffylau a chytiau ar gopa'r Wyddfa tua'r flwyddyn 1900.
© Gwasanaeth Archif Gwynedd

Cerdyn Post o'r flwyddyn 1907, Stryd Fawr Llanberis.
© Gwasanaeth Archif Gwynedd

Cannoedd o drigolion lleol yn gwrando ar y Prif Weinidog, William Ewart Gladstone, David Lloyd George a T. E. Ellis yn annerch ym mis Medi 1892. © Gwasanaeth Archif Gwynedd

Siop Pont Gromlech, Bwlch Llanberis tua'r flwyddyn 1900.
Trwy garedigrwydd Lynn Williams.

Pwyllgor Cenhadol y Merched, Ysgoldy Clwt-y-bont ym 1910.
© Gwasanaeth Archif Gwynedd

Ysgol Dolbadarn, Llanberis ym 1898.
© Gwasanaeth Archif Gwynedd

Teulu Dôl Peris, Llanberis ar gwch ar Lyn Padarn tua'r flwyddyn 1900. Yn y cefndir mae Ysbyty Chwarel Dinorwig a Chwarel Vivian. Casgliad Phil a Lisa George.

Y Fferyllydd a'r Parchedig Richard Hughes, ei wraig Jane ac un o'u merched o flaen eu cartref Dôl Peris, Llanberis tua'r flwyddyn 1900. Casgliad Phil a Lisa George.

Katherine a Jane Hughes o flaen eu cartref Dôl Peris, Llanberis tua'r flwyddyn 1900. Casgliad Phil a Lisa George.

Selina Morris, Gardda Bach, Nantperis ar gopa'r Wyddfa tua'r flwyddyn 1905. Trwy garedigrwydd Margaret Ellis, gor-wyres Selina.

*Hugh ac Ellen Jones,
Manchester House,
Ebenezer (Deiniolen)
tua'r flwyddyn 1905.
Trwy garedigrwydd
Emyr Gruffudd.*

*Amy Edwards, y ieuaf o
un-ar-ddeg o blant Hugh ac
Ellen Jones, Manchester
House, Ebenezer (Deiniolen)
tua'r flwyddyn 1905.
Trwy garedigrwydd
Emyr Gruffudd.*

Casgliad o ffotograffau Isaac Hughes, brodor o Sir Ddinbych a fu'n gweithio fel ffotograffydd yn Llanberis yn ystod yr 1870au a'r 1880au. © Menter Fachwen

William Morris (Hafod Gynfor, Nantperis) ac Ellen Ellis (neé) Jones (Tanybryn, Nantperis) gyda'u mab Elidir Morris. Trwy garedigrwydd Lynn Willams, gor-wyres Ellen Ellis.

Cymdogion Kate Roberts. Teulu Fron Hyfryd, Rhosgadfan tua'r flwyddyn 1894. Yn y rhes flaen, mae'r chwarelwr John 'Fawr' Roberts (g. 1843) a'i wraig Elizabeth (g. 1844) neu 'Betsan'; fy hen, hen, hen Nain a Taid ar ochr fy Mam. Yn y canol mae Margaret (g. 1874) neu 'Margiad,' fy hen, hen Nain.

Degawd Cythryblus: Anghydfodau Diwydiannol yr 1880au

Ar un wedd, roedd y weithred o adeiladu Ysbyty Chwarel Dinorwig yn adlewyrchiad o ymddygiad elusengar y perchennog. Hanai Assheton Smith o linach dirfeddiannol llewyrchus a thrwy adeiladu ysbyty ar gyfer ei weithwyr llwyddodd i drawsblannu'r berthynas dadol, ddibynnol a fodolai ar yr ystadau amaethyddol i mewn i gymuned ddiwydiannol newydd. Sicrhawyd ysbyty yn Chwarel Dinorwig diolch i arian ystad y Faenol ond cynhaliwyd y sefydliad trwy gyfraniadau cyson Assheton Smith a thanysgrifiadau'r chwarelwyr trwy Gronfa Cymdeithas Chwarelau Dinorwig: cyfuniad o ddyngarwch y perchennog a chydgymorth ymysg y gweithwyr.

Er mwyn i'r gwasanaeth a ddarparwyd yn yr ysbyty lwyddo roedd gofyn sicrhau perthynas sefydlog rhwng y gwas a'r meistr. Yn ystod y cyfnod Fictoraidd roedd dyngarwch a chydgymorth yn athroniaethau a oedd â'r gallu i wrthdaro; yn wir, yn ystod yr 1880au byddai'r gwahaniaeth barn yn codi nyth cacwn yn y chwarel.

Deddf Cyfrifoldeb y Meistri 1880

> ... when the Act became law no class of workmen in the kingdom rejoiced more than the Dinorwic quarrymen![1]

Ar 1 Ionawr 1881 daeth Deddf Cyfrifoldeb y Meistri (*The Employers' Liability Act*) i rym. Dan y ddeddf hon roedd gan weithiwr yr hawl i erlyn ei gyflogwr yn dilyn anaf, cyn belled â'i fod yn gallu profi bod yr anaf wedi ei achosi yn sgil esgeulustra goruchwyliwr neu gyd-weithiwr neu o achos offer anniogel.[2] Dan amodau'r ddeddf hon byddai gan y gweithiwr – neu mewn achosion lle'r oedd y gweithiwr wedi marw, ei deulu – 'the same right of compensation and remedies against the employer as if the workman had not been a workman of, nor in the service of the employer'.[3] Roedd gan yr unigolyn yr hawl i fynnu iawndal gwerth hyd at dair blynedd o gyflog. Mewn sawl ardal, bu pasio'r Ddeddf Cyfrifoldeb y Meistri yn symbylydd i nifer o ddiwydianwyr ddechrau darparu gwasanaethau meddygol sylfaenol ar gyfer eu gweithwyr. Roedd yr ymateb yn Nyffryn Peris yn dra gwahanol.

Wythnos wedi i'r ddeddf ddod i rym, cyhoeddodd George William Duff Assheton Smith y dylai chwarelwyr Dinorwig arwyddo cytundeb a fyddai'n eu neilltuo rhag amodau'r ddeddf.[4] O fewn cyd-destun cyfreithiol roedd cytundeb o'r fath mewn gwirionedd yn ddiwerth, ond roedd Assheton Smith yn ffyddiog y byddai dealltwriaeth ysgrifenedig rhyngddo ef a'i weithlu yn ddigon i atal chwarelwyr Dinorwig rhag gwneud defnydd o delerau'r ddeddf newydd. Er mwyn sicrhau y byddai'r gweithwyr yn dilyn ei orchymyn, defnyddiodd ddarpariaeth iechyd y chwarel fel arf yn eu herbyn. Dadleuodd Assheton Smith ei fod eisoes yn rhoi pensiynau i chwarelwyr oedrannus a methedig ac i deuluoedd unigolion a fu farw mewn damweiniau; yn cefnogi 'a hospital in connection with the quarries' yn ogystal â chyfrannu'n rheolaidd tuag at gronfeydd salwch.[5] Rhybuddiwyd, 'should the men adopt the provisions of the Act… Mr Assheton Smith will withdraw these boons to his employés'.[6]

Yn dilyn rhybudd bygythiol Assheton Smith galwyd cyfarfod er mwyn penderfynu sut y dylai'r gweithwyr ymateb. Ar 1 Chwefror 1881, cynhaliwyd cyfarfod anferthol:

> Ychydig wedi [deuddeg o'r gloch] gwelid yr ochrau llethrog uwchlaw ac islaw y cyrchle yn ddu o weithwyr yn esgyn ac yn disgyn… erbyn tua chwarter wedi deuddeg yr oedd y gynulleidfa wedi cyrhaedd ei nherth… yn bresenol tua dwy fil o weithwyr, yr oll yn bryderus ac yn arddangos yr olwg hono a arwydda fod rhyw beth mwy na chyffredin i ymdrin ag ef.[7]

Yn ystod y cyfarfod, pleidleisiodd 51 ponc o blaid 'ymuno' â thelerau'r ddeddf, un bonc yn erbyn a phedair yn ymatal.[8] Yn dilyn y bleidlais, gwrthododd Pwyllgor Gweithredol Undeb Chwarelwyr Gogledd Cymru ildio i'w orchymyn yn ffurfiol. Roedd y pwyllgor yn awyddus i gyfaddawdu a ffurfio Bwrdd Apêl annibynnol a fyddai'n penderfynu 'whether cases of accidents... came within the provisions of the Act'.[9] Penderfynwyd y dylid sefydlu cronfa newydd – trwy danysgrifiadau pellach – i gyfrannu tuag at yr iawndaliadau.[10] Anfonwyd gair 'of hearty thanks... to Mr. Assheton Smith for his liberality... [and] it was also hoped that he would continue to show such benevolence'.[11] Gwrthodwyd eu cais, ac fel bygythiad pellach dychwelwyd llyfrau siec Cymdeithas Cronfa Chwarelau Dinorwig yn ôl i'r dynion.[12]

Ar 1 Mawrth 1881 arwyddodd y chwarelwyr gytundeb a fyddai'n eu neilltuo rhag amodau'r ddeddf, cytundeb a oedd yn profi goruchafiaeth y perchennog mewn materion iechyd a lles er gwaethaf cyfraniadau rheolaidd y gweithwyr.

Roedd y bygythiad o golli darpariaeth iechyd bresennol y chwarel yn ddigon i orfodi'r chwarelwyr i ildio eu hawliau dan gyfraith gwlad a dilyn gorchymyn eu meistr, ffaith sydd yn profi gwerth a phwysigrwydd darpariaeth y chwarel i gymunedau'r dyffryn. Trwy ddefnyddio darpariaeth iechyd y chwarel fel arf, llwyddodd Assheton Smith i atal y wladwriaeth rhag ymyrryd ym materion preifat ei gwmni a bygwth y berthynas ddibynnol a fodolai rhyngddo ef a'i weithwyr. Ym 1881 cafwyd rhagflas o'r heriau a wynebai Assheton Smith a'r chwarelwyr, eu dau, wrth i'r degawd rygnu yn ei flaen.

Nodiadau

1. *The North Wales Express*, 22 Ionawr 1886, t. 8.
2. GAG DQ/1902 EMPLOYERS' LIABILITY ACT. (43 & 44 Vict. Ch. 42.) (1880)
3. Jamie Bronstein, *Caught in the Machinery: Workplace Accidents and Injured Workers in Nineteenth-Century Britain* (Stanford, 2008), t. 164.
4. *The North Wales Express*, 7 Ionawr 1881, t. 6.

5. Ibid.
6. Ibid.
7. *Y Genedl Gymreig*, 10 Chwefror 1881, t. 6.
8. *The North Wales Chronicle*, 5 Chwefror 1881, t. 6.
9. Ibid.
10. Ibid.
11. Ibid.
12. Jones, *The North*, t. 145.

Cload Allan Dinorwig 1885–6

Cwmwl gormes heddyw welir
Yn gorchuddio'r hen *Elidir,*
Marwol gnul ein harfau glywir
Yn ein cwyn yn gaeth.

'Cydgan Chwarelwyr Dinorwic
[Tôn: Rhyfelgyrch Gwŷr Harlech]'[1]

Erbyn 1885, fel y dengys geiriau'r gân uchod, roedd y sefyllfa yn Chwarel Dinorwig wedi cyrraedd penllanw cythryblus. Dyma anghydfod a oedd wedi bod yn ffrwtian o dan yr wyneb ers sawl blwyddyn. Y brif ddraenen yn ystlys y gweithwyr oedd y newidiadau a oedd wedi digwydd ers penodiad un gŵr yn arbennig. Ym 1880 penodwyd Walter Warwick Vivian yn Gyfarwyddwr a Rheolwr Cyffredinol Chwarel Dinorwig, gŵr a oedd wedi cael ei hyfforddi ym myd busnes llym Manceinion.

Roedd y berthynas gythryblus a fodolai rhwng y gweithwyr a W. W. Vivian yn dra gwahanol i'r berthynas a fodolai rhwng rheolwyr blaenorol a'r gweithlu. Un gŵr a chwaraeodd ran greiddiol yn natblygiad aruthrol Dinorwig oedd Griffith Ellis, Prif Oruchwyliwr y chwarel am dros ddeugain mlynedd rhwng 1814 a 1860.

Ganed Griffith Ellis yn Hafodty, Llanberis ym 1785, yn

fab i Griffith Ellis, chwarelwr, a'i wraig Elizabeth Closs.[2] Dilynodd Griffith ei dad i'r chwarel, cyn treulio cyfnodau yn gweithio mewn amryw o lefydd yng Nghymru a Lloegr. Ym 1814, dychwelodd i Lanberis a derbyniodd swydd y Prif Oruchwyliwr, swydd y bu ynddi hyd ddiwedd ei oes. Dan arweiniad Griffith datblygodd Dinorwig yn un o'r chwareli llechi amlycaf a phwysicaf ym Mhrydain; yn ei gyfnod ef, tyfodd y gweithlu o 300 o ddynion i gwta 2,000.[3] Mae'r ysgrif goffa a ymddangosodd ym mhapur *Baner ac Amserau Cymru* yn fuan wedi ei farwolaeth ym 1860 yn adlewyrchu'r parch mawr a deimlwyd tuag ato'n lleol:

> Yr oedd yn gallu llywodraethu dros ddwy fil o bobl mor heddychol a phe na buasent ond un person... bu yn noddwr da i weddwon ac amddifaid, ac ni oddefai i neb wneyd y cam lleiaf â hwy, ac nid yw ryfedd yn y byd fod ei farwolaeth wedi creu y fath deimlad dwys.[4]

Yn dilyn marwolaeth Griffith Ellis bu sawl gŵr wrth y llyw yn Ninorwig; unigolion o gefndiroedd tra gwahanol i Griffith, gyda rhai yn amlwg yn fwy poblogaidd na'i gilydd.

Ym marn W. W. Vivian, nid oedd y chwarel yn cael ei rhedeg yn ddigon effeithiol, a chyda'r hyder a ddaeth yn dilyn buddugoliaeth Deddf Cyfrifoldeb y Meistri 1880 aethpwyd ati i sathru ar arferion traddodiadol y gweithlu, arferion a oedd ym marn Vivian yn arafu cynhyrchiant.[5] Ar ddiwedd pob mis, edrychai pob chwarelwr ymlaen at dderbyn diwrnod o wyliau, ond yn fuan ym 1885, mewn ymgais i sicrhau gweithle mwy proffidiol, mynnwyd bod rhaid i weithwyr y melinau stêm weithio tan 10 y bore ar eu diwrnod o wyliau. Yna, ym mis Hydref, gyda'r gweithwyr eisoes wedi eu digio gan y trefniant newydd, gorchmynnwyd bod rhaid iddynt aros tan hanner dydd, penderfyniad a oedd yn golygu bod y dynion yn colli dwy awr ychwanegol o'u hamser hamdden. Gwrthodwyd gorchymyn y rheolwyr, ac yn groes i'w dymuniad gadawodd y gweithwyr eu gwaith yn brydlon am 10 y bore.

Yn ystod haf 1885 cyflwynwyd rheol newydd a oedd yn atal chwarelwyr rhag cymryd amser i ffwrdd ar gyfer dyletswyddau y tu allan i'w gwaith, megis hel gwair. Yn draddodiadol, roedd gan chwarelwr hawl i adael ei waith er mwyn cynaeafu ei wair ei hun, neu wair unrhyw gyfaill iddo. O dan y rheolau newydd roedd rhaid i chwarelwr dderbyn caniatâd ei oruchwyliwr cyn iddo gael gadael ei waith ac nid oedd ganddo hawl i gynorthwyo unrhyw gyfaill ac eithrio ei gymydog agosaf.[6] Mynnodd y dynion nad oedd y rheolwyr yn llawn ddeall y cysyniad o gymuned; teimlent fod atal chwarelwr o blwyf Llanberis rhag cynorthwyo ei gyd-weithiwr am ei fod yn byw ym mhlwyf Llanrug neu Landdeiniolen yn gwbl hurt. Yr amcan – yn ôl y chwarelwyr – oedd 'cael y gwaith o dan yr un deddfau a'r gweithfaoedd yn Lloegr, megis y *factories*', amcan a oedd, yn eu barn nhw, yn 'hollol anmhosibl'.[7] Teimlai'r gweithwyr fod 'mân ddeddfau diddiwedd' nid yn unig yn cyfyngu ar eu hamser hamdden, ond yn bwysicach fyth ar eu rhyddid fel dynion; gofynnwyd, 'a yw y cyfryw ddeddf a hon i'w goddef mewn gwlad rydd fel Prydain Fawr yn y 19 ganrif?'[8]

Cwyn arall o du'r chwarelwyr oedd y cyhuddiad o ffafriaeth wleidyddol a chrefyddol. Honnai'r chwarelwyr fod meibion Eglwyswyr Ceidwadol yn cael blaenoriaeth dros fechgyn a hanai o deuluoedd Anghydffurfiol a Rhyddfrydol, ac mai 'anrhaith anrhydeddus [oedd] gwobrwyo dyn am broffesu syniadau o liw a llun neillduol'.[9] Mewn llythyr ym 1884, ymbiliwyd

> for equal rights for all in their character as Workmen. Let honest work be paid for, and not the Political or Religious creed of any man.[10]

Ymatebodd Assheton Smith trwy fynnu bod meibion ei denantiaid bob amser am gael blaenoriaeth ganddo ef wrth gyflogi bechgyn.

Yr hoelen olaf yn yr arch yn Ninorwig oedd y ffaith bod y chwarelwyr wedi cynnal cyfarfod cyhoeddus yn ystod oriau gwaith ar 12 Hydref 1885. Yno, pasiwyd pleidlais o ddiffyg hyder yng ngallu dau reolwr: W. W. Vivian a Chymro o'r enw John Davies. Galwyd ar y ddau i ymddiswyddo cyn gynted â phosib. Ymhen deg diwrnod rhoddwyd hysbysiadau o amgylch y gweithfeydd yn nodi 'Na bydd angen am eich gwasanaeth ar ôl dydd Sadwrn 31ain o Hydref'.[11] Trwy'r hysbysiad hwn dechreuodd Cload Allan Dinorwig, anghydfod a fyddai'n parhau hyd 13 Chwefror 1886.

Yn ystod Cload Allan, trodd y dynion at eu hundeb am gymorth. Roedd coffrau Undeb Chwarelwyr Gogledd Cymru wedi bod yn tyfu'n raddol ers ei sefydlu ym 1874, ond gyda thros hanner gweithlu Dinorwig yn gymwys i dderbyn tâl undebol o ddeg swllt yr wythnos, buan y dechreuodd cronfeydd eu hundeb grebachu.[12] Dibynnodd nifer ar ewyllys da eraill, a honnwyd ei bod hi'n '[f]wy anrhydeddus... bod yn dlawd a derbyn elusen, nac ymwerthu yn gaethion gwasaidd a dirmygedig'.[13] Derbyniwyd symiau sylweddol o arian o bob cwr o Gymru a thu hwnt. Yn naturiol efallai, oddi wrth chwarelwyr eraill y daeth trwch yr arian. Erbyn mis Rhagfyr 1885 roedd chwarelwyr y Penrhyn a'u teuluoedd wedi llwyddo i gasglu dros £137, ac ymhen mis casglwyd £40 ychwanegol diolch i haelioni masnachwyr amrywiol Bethesda a'r cyffiniau, cyfanswm sy'n cyfateb i oddeutu £14,500 yn arian heddiw![14]

Roedd trigolion tref Caernarfon yn barod iawn i gyfrannu at yr achos hefyd: rhoddodd 'Lewis Lewis, Ysw., Maer Caernarfon' rodd o £10 10s (£820); derbyniwyd £21 (£1,640) gan weithwyr Nelson Emporium, a £5 (£400) gan y cigydd Henry Owen ynghyd â llu o daliadau eraill. Ni chyfyngwyd y casglu i ardaloedd y chwareli yn unig, anfonwyd arian o Dreherbert, Pontypridd, Wrecsam, Aberystwyth, Dinbych, Treffynnon, Lerpwl, Penbedw, Llundain, Northampton, Bootle, Caer a Vermont, U.D.A. Dewisodd rhai beidio â chynnwys eu henw wrth roi arian; fe dderbyniwyd £2 gan 'Dau Gyfaill', deg swllt gan 'un yn cydymdeimlo' a thaliad ingol o ddwy geiniog gan 'Y Weddw Dlawd'.[15]

Yn ystod y Cload Allan, mewn ymgais i fwydo eu teuluoedd, dechreuodd nifer o chwarelwyr botsio. Honnodd gohebydd *Y Celt* mai 'yr unig achosion a ddygir o flaen ynadon Caernarfon y dyddiau hyn [Gaeaf 1886] ydynt herwhela', ac eglurodd mai 'chwarelwyr allan o waith ydoedd y rhai a gosbwyd'.[16] Yn ei farn ef roedd bywydau sgwarnogod bellach 'yn uwch yn ngolwg rhai na bywydau bodau dynol'.[17]

Ar 9 Rhagfyr 1885, penderfynwyd bod y gweithwyr wedi dysgu eu gwers. Cyhoeddodd W. W. Vivian restr o reolau newydd gan ddatgan fod croeso i'r gweithwyr hynny a oedd yn derbyn ei reolau ddychwelyd i'r gwaith y dydd Llun canlynol. Yn dilyn y cyhoeddiad cynhaliwyd cyfarfod cyffredinol, ac yno, penderfynwyd yn unfrydol nad oedd y dynion am ddychwelyd i'r chwarel dan y rheolau newydd. Yn sgil gwahoddiad Vivian a'r modd y gwrthododd y chwarelwyr ei gynnig, trodd y 'Cload Allan' yn streic a daeth dydd Llun, 15 Rhagfyr 1885 yn ddiwrnod pwysig yn hanes y chwarel a'r fro.

Yn ôl disgrifiad gohebydd *Y Genedl Gymreig*, yn fuan y bore Llun hwnnw, roedd 'cymdogaeth Llanberis yn ferw gwyllt'.[18] Yn y gobaith o atal unrhyw 'fradwyr' rhag dychwelyd i'r gwaith casglodd 'niferoedd mawrion' o chwarelwyr a'u gwragedd â phastynau ar gyrion mynedfa'r gwaith.[19] Trwy ryw gyd-ddigwyddiad rhyfeddol dyma'r bore hefyd yr oedd Assheton Smith wedi gorchymyn i arweinydd y Royal Vaynol Silver Band (Seindorf Llanrug), Mr Tidswell, ddychwelyd eu holl offerynnau i'r chwarel. Os dychwelyd oedd rhaid, penderfynwyd anfon 'yr holl seindorf... dan chwareu eu hofferynau i fyny at yr *office*'. Yn ddigymell, gydag alawon yr offerynnau yn atsain trwy'r dyffryn, dechreuodd y dorf 'yn wŷr, gwragedd a phlant' ddilyn y band.[20]

Wedi cyrraedd y swyddfa, aeth Mr Tidswell at y drws a chynnig ei fod yno i ddychwelyd eiddo Assheton Smith ond mwyaf syndod i'r dorf – a Mr Tidswell druan – dywedodd Vivian nad oedd ganddo unrhyw fwriad i gasglu'r offerynnau. Yn sgil y fuddugoliaeth fechan hon, penderfynodd y dorf drosglwyddo neges ysgrifenedig i'r swyddfa:

> Rhybudd ydoedd... i Mr. Vivian a Mr. Davies adael y swyddfa mewn deng mynyd o amser, neu y byddai raid iddynt gymeryd y canlyniadau.[21]

Ymhen ychydig funudau, ymddangosodd is-oruchwyliwr i ddatgan bod Vivian a Davies yn fodlon gadael y swyddfa ar yr amod bod y dorf yn ymwahanu i wneud lle iddynt adael. Gwasgarodd y dorf gan alluogi Vivian a Davies i adael y swyddfa a cherdded tuag at y rheilffordd ac ar drên a fyddai'n eu tywys i'r Felinheli. Dyma'r unig ddigwyddiad yn hanes y diwydiant llechi Cymreig lle gwelwyd y gweithwyr yn meddiannu'r chwarel a hynny gan anfon prif reolwyr y gwaith oddi yno.[22]

Ar 18 Rhagfyr adroddwyd ym mhapur newydd *The Cambrian News and Merionethshire Standard* nad oedd W. W. Vivian wedi dangos ei wyneb yn Llanberis wedi'r dydd Llun tyngedfennol hwnnw yn Ninorwig. Pe bai'n meiddio mentro i'r chwarel neu i bentref Llanberis 'he would have been pounced upon by women and ducked in

Llanberis lake.'[23] Mae'n amlwg bod gwragedd a merched Dyffryn Peris am ei waed!

Mewn ymgais i godi cywilydd ar y rheiny a ddychwelodd i'r gwaith cyhoeddwyd eu henwau yn *Y Werin*; cyfeiriwyd atynt fel 'seirph' a mynnwyd y dylid eu trin 'yn ol eu teilyngdod'.[24] Mae'n ddiddorol trafod hefyd y 'swyddogion a daflwyd allan yn y cyffro'.[25] Roedd pob un goruchwyliwr a gollodd ei waith yn ystod y Cload Allan wedi dechrau yn y chwarel yn blant ac wedi dringo trwy'r rhengoedd i gyrraedd eu safle. Yn bwysicach fyth, roedd pob un ohonynt hefyd yn flaenoriaid yng nghapeli amrywiol y Methodistiaid Calfinaidd ym mhentrefi Dinorwig a Llanberis, manylyn sy'n profi'r drwgdeimlad crefyddol a fodolai yn Chwarel Dinorwig erbyn 1885.[26]

Yn ystod y Cload Allan collodd y chwarelwyr yr hawl i ddefnyddio adnoddau iechyd y chwarel. Yn ddiddorol, caiff 'Thomas Hughes M.D. Ysbytty Chwarel Dinorwic', llawfeddyg yr ysbyty, ei restru fel unigolyn a roddodd arian tuag at 'Gronfa Gynorthwyol Cload Allan Dinorwic'; ym mis Rhagfyr 1885, rhoddodd £20 at eu hachos, swm sy'n cyfateb i oddeutu £1,600 yn arian heddiw.[27] Yn anffodus nid oes unrhyw gofnodion cyn 1890 wedi goroesi, ac anodd felly yw creu darlun o effaith y Cload Allan ar Ysbyty Chwarel Dinorwig, ond teg fyddai tybio bod niferoedd y cleifion wedi disgyn yn sylweddol yn ystod gaeaf 1885–6. Mae cofnodlyfrau Ysbyty Chwarel y Penrhyn yn ystod Streic Fawr 1900–3 yn cefnogi'r ddamcaniaeth uchod; ym 1901 gwelwyd 70 y cant yn llai o gleifion nag arfer, ac ym 1902 gwelwyd 20 y cant yn llai.[28]

Wrth geisio egluro gwreiddiau'r gynnen yn Ninorwig, mae haneswyr wedi tueddu i ganolbwyntio ar ffactorau megis colli gwyliau a rhaniadau crefyddol neu wleidyddol yn unig. Wrth edrych ar bapurau newydd y cyfnod daw un ffactor arall i'r amlwg. Ym 1884 achoswyd cryn dipyn o ddrwgdeimlad yn y chwarel wedi i Assheton Smith ganiatáu i ddau deulu a oedd yn dioddef o deiffoid dderbyn triniaeth yn yr ysbyty.[29] O ganlyniad, roedd 'ugeiniau' o chwarelwyr yn gwrthod ymweld â'r ysbyty ac yn mynnu bod y meddyg yn teithio i'w cartrefi. Yn *Y Genedl Gymreig* cyhoeddwyd llith o gwestiynau rhethregol:

> Ai nid ydyw anfon y personau crybwylledig yma yn peryglu iechyd ein cymydogaeth? A oes gan rhywun o'i benarglwyddiaeth hawl i wneud hyn? A oes rheswm dros wneyd yr ysbytty hwn yn ddinas noddfa i estroniaid dan amgylchiadau fel hyn? ... Ai nid ysbytty i'r chwarelwyr ydyw?[30]

Ar y pryd, ni wnaethpwyd natur eu salwch yn hysbys, yn hytrach tybiwyd bod y teuluoedd yn dioddef o'r dwymyn goch.[31] Pan ddatgelwyd bod yr unigolion yn dioddef o deiffoid a bod tri aelod o un teulu ac un aelod o'r teulu arall wedi marw roedd y chwarelwyr a thrigolion y pentrefi cyfagos wedi'u dychryn a'u siomi. Mewn un erthygl fygythiol rhybuddiwyd cyn gynhared â 1884 bod 'terfyn ar amynedd gweithiwr... O! na welem wawr ar ein hachos'.[32]

Yn y cyfnod Fictoraidd roedd dyfodiad teiffoid – ynghyd â llu o glefydau heintus eraill – yn ddigwyddiad a fyddai'n codi ofn ar unrhyw gymdogaeth. Rhwng yr 1830au a'r 1880au roedd teiffoid yn ymwelydd blynyddol ym Mro Ffestiniog; cymaint oedd maint y broblem dechreuwyd cyfeirio at deiffoid fel 'clefyd Ffestiniog'.[33] Ym 1870, eglurodd gohebydd *Y Dydd* bod

> Gwyddonwyr... erbyn hyn... yn dweyd mai ei enw priodol ydyw TYPHOID... [ond] adwaenid ef (ac adwaenir ef etto yn y cymydogaethau cylchynol) wrth yr enw Clefyd Ffestiniog.[34]

Mae sylwadau'r gohebydd yn cynnig cipolwg gwerthfawr ar ddealltwriaeth cyfoeswyr (gwybodus!) o glefydau heintus fel teiffoid. Wrth geisio egluro'r modd y trosglwyddwyd y clefyd o glaf i glaf dywed y gohebydd fod

> meddygon yn dweyd ei fod yn cael ei gynnyrchu mewn canlyniad i elfenau anmhur gael eu dwyn i'r faeth-bibell (*alimentary duct*), trwy oruchwyliaeth dwfr afiachus.[35]

Er bod rhai yn ardal Ffestiniog ar adegau wedi ceisio honni mai unigolion o Loegr a heintiodd weddill yr ardal, mynnodd y gohebydd mai 'breuddwyd disail' oedd yr honiad hwn.[36] Eglurodd mai gwraidd y broblem yn ôl 'amryw ddynion deallus' oedd 'tai [wedi] cael eu llenwi yn ormodol â phreswylwyr' a 'gwelyau yn cael eu cadw yn boeth ac afiach'.[37] Cyfeirio a wnâi at adroddiad Dr George Buchanan, meddyg yn Ysbyty'r Dwymyn yn Llundain. Yn ystod un epidemig ym 1863, anfonwyd Dr Buchanan i fro Ffestiniog er mwyn asesu'r sefyllfa.[38] Yn nhrymder y salwch, nododd fod rhwng 600 a 700 o bobl yn dioddef yn ardaloedd Glan-y-pwll a Thanygrisiau. Rhestrodd orboblogi, dŵr llygredig a diffyg system waredu carthion addas fel y prif ffactorau tu ôl i ddechrau'r epidemig.[39]

Gyda chymaint o ofn yn gysylltiedig â chlefyd fel teiffoid, does dim syndod nad oedd croeso i ddau deulu heintus yn Ysbyty Chwarel Dinorwig. Roedd y chwarelwyr yn grediniol nad oedd Ysbyty'r Chwarel yn sefydliad addas ar gyfer trin clefyd o'r fath; meddent, 'there would have been some sense in selecting a place like Llandudno for people to recover... instead of a place such as the Dinorwic Quarry Hospital!'[40] Hanfod eu dadl mewn gwirionedd oedd y cwestiwn ynghylch perchnogaeth Ysbyty Chwarel Dinorwig. Ym marn y chwarelwyr nid oedd gan Assheton

Smith yr hawl i yrru unigolion fel y mynnai i'r ysbyty gan mai'r gweithwyr oedd yn ysgwyddo'r baich ariannol o gynnal y sefydliad; cytunent 'that it is his property; [but] it is also quite true that he has conveyed it to the use of the workmen belonging to Dinorwic Quarries Benefit Club, who bear the whole expense of maintaining it'.[41]

Er nad oedd y ddadl ynghylch y teuluoedd teiffoid yn ffactor canolog yn ystod Cload Allan 1885–6, ni ddylid chwaith ei ddiystyru. Mae Sgandal Teiffoid Dinorwig yn adlewyrchu'r ffrwgwd a fodolai rhwng y gwas a'r meistr dros yr hawl i berchnogi darpariaeth iechyd galwedigaethol Dyffryn Peris, wrth i drefniadau yn ymwneud â'r gyfundrefn iechyd effeithio ar berthnasau llafur.

Teg fyddai cyfeirio at ddarpariaeth alwedigaethol Chwarel Dinorwig fel elfen ddiamheuol bwysig o fewn cyfundrefn iechyd pentrefi'r dyffryn. Mae'r dadleuon a ddaeth i'r amlwg yn ystod anghydfodau diwydiannol yr 1880au yn adlewyrchu'r angerdd a deimlwyd ynglŷn â darpariaeth y chwarel a hawl y gweithwyr – a'u tylwyth – i'w defnyddio.

Nodiadau

1. *Y Werin*, 7 Tachwedd 1885, t. 3.
2. *Baner ac Amserau Cymru*, 21 Mawrth 1860, t. 5.
3. Jones, *Dinorwic*, t. 30
4. *Baner ac Amserau Cymru*, 21 Mawrth 1860, t. 5.
5. R. Merfyn Jones, 'The trade union and political activities of the North Wales slate quarrymen in relation to their social and working conditions, 1870–1905' (traethawd ymchwil Ph.D., Prifysgol Warwick, 1975), t. 214.
6. Ibid.
7. *Y Genedl Gymreig*, 29 Gorffennaf 1885, t. 5.
8. Ibid.
9. *Y Werin*, 19 Rhagfyr 1885, t. 4.

10. GAG DQ/1904 Llythyr oddi wrth gynrychiolwyr y chwarelwyr at W. W. Vivian yn pwysleisio'r angen i gynnal cyfeillgarwch rhwng y gweision a'r meistr (Awst 5 1884).
11. *Y Werin*, 19 Rhagfyr 1885, t. 4.
12. Jones, *The North*, t. 152.
13. *Y Werin*, 19 Rhagfyr 1885, t. 4.
14. Ibid., 26 Rhagfyr 1885, t. 2.
15. Ibid., 27 Ionawr 1886, t. 2.
16. *Y Celt*, 12 Chwefror 1886, t. 8.
17. Ibid.
18. *Y Genedl Gymreig*, 16 Rhagfyr 1885, t. 4.
19. Ibid.
20. Ibid.
21. Ibid.
22. Jones, *The North*, t. 155.
23. *The Cambrian News and Merionethshire Standard*, 18 Rhagfyr 1885, t. 7.
24. *Y Werin*, 14 Tachwedd 1885, t. 3.
25. Ibid., 2 Ionawr 1886, t. 3.
26. Ibid.
27. Ibid., 26 Rhagfyr 1885, t. 2.
28. Davies, *The North*, t. 65.
29. *The North Wales Express*, 22 Ionawr 1886, t. 8.
30. *Y Genedl Gymreig*, 5 Mawrth 1884, t. 7.
31. *The North Wales Express*, 22 Ionawr 1886, t. 8.
32. *Y Genedl Gymreig*, 5 Mawrth 1884, t. 7.
33. Davies, *The North*, t. 133.
34. *Y Dydd*, 11 Chwefror 1870, t. 6.
35. Ibid., t. 7.
36. Ibid., t. 6.
37. Ibid., tt. 6–7.
38. Davies, *The North*, t. 134.
39. Ibid.
40. *The North Wales Express*, 22 Ionawr 1886, t. 8.
41. Ibid.

Darpariaeth a Gofal Iechyd y Teulu, y Gymdogaeth a'r Gymuned Chwarelyddol

Cofio Merched y Broydd Llechi: Gofal ar yr Aelwyd Chwarelyddol

> Little is known about the quarryman's wife and daughter...[1]

Roedd disgwyliadau enfawr yn pwyso'n drwm ar ysgwyddau gwragedd ifanc. Ar yr aelwyd, roedd cyfraniad y fam, y wraig, y chwaer a'r ferch yn allweddol. Eu cyfrifoldeb nhw oedd gofalu am iechyd a lles y teulu cyfan.

Daw'r dyfyniad isod o draethawd ar 'Addysg Merched' a ddaeth i'r brig yn ystod Eisteddfod Dinbych 1860. Ynddo, wrth ddisgrifio'r ferch Gymreig ddelfrydol, mae'r awdur yn rhoi cryn bwyslais ar ei gallu i ofalu am gleifion ar yr aelwyd:

> Pwy sydd yn cael ei galw i wylio wrth ochr gwely y claf ond gwraig? Edrychwch ar y tŷ draw, nid yw y ganwyll wedi diffodd er's tair wythnos. Mae yno faban chwe mis oed yn glaf. Dyneswch yn ddistaw at y ffenestr noswaith ar ol noswaith, a chewch weled yr un person bob amser ar ddihun...
>
> Yn y tŷ arall sydd gerllaw y mae yna fachgen ieuangc pump ar hugain oed yn gorwedd ar ei wely er's dros

> ddwy flynedd. Y mae tri neu bedwar o feddygon wedi ei roddi i fyny... y mae bron wedi myned yn anghof... y mae pawb fel pe byddent wedi blino ei hebrwng hyd y bedd. Na, na: nid yw pawb wedi ei adael; y mae yno un yn parhau yn ffyddlawn iddo o hyd... Y mae hi mor barod at ei alwad, mor dyner ei hattebion, ac mor fywiog yn ei symmudiadau yn awr a'r fynyd gyntaf y cafodd ei daraw yn glaf.[2]

Mae'r hyn a ysgrifennwyd am ferched a gwragedd pentrefi'r chwareli mewn cyferbyniad llwyr â'r ddelfryd Fictoraidd a gyflwynwyd uchod. O ganol y bedwaredd ganrif ar bymtheg ymlaen, pardduwyd enw gwragedd y broydd llechi mewn print ac ar lafar.

Mewn erthygl a gyhoeddwyd ym 1869 lleisiwyd pryder ynglŷn â'r math o wraig y dewisai'r chwarelwr ei phriodi. Honnodd yr awdur fod sawl chwarelwr wedi cael ei ddallu gan 'yr olwg ysblenydd a gafodd ar un o'r cyfryw ferched'; grwgnachodd '[nad] peth anghyffredin yw clywed aml chwarelwr yn dyweyd mai yn y ffair... y cyfarfyddodd ef a'i briod', gan ebychu 'fod y ffair yn lle da i ymofyn buwch neu geffyl; ond nid yw, ac ni feddyliwyd erioed iddi fod, yn lle da i ymofyn gwraig'.[3] Awgrymodd fod merched y ffeiriau 'yn hoff o gyfeillach lawen, pleserau gwag a gwisgoedd pinc' yn unig.[4] Nid yw'r erthygl uchod yn eithriad; erbyn troad y ganrif mae'r dystiolaeth yn awgrymu bod naratif gymharol negyddol wedi datblygu ynghylch merched a gwragedd pentrefi'r chwareli.

Yn ystod yr 1890au cynhaliwyd sawl ymholiad llywodraethol a oedd yn edrych yn benodol ar natur y diwydiant llechi a'i effaith ar fywydau trigolion y pentrefi cyfagos. Yn yr adroddiadau swyddogol hallt iawn yw'r feirniadaeth o wragedd a merched y broydd llechi.

Yng Nghorris ym mis Ebrill 1894 cynhaliwyd *A Report*

of the Departmental Committee upon Merionethshire Slate Mines. Pan gyhoeddwyd y canfyddiadau dadrithiwyd merched Ffestiniog gan sylwadau Miss Winifred A. Ellis, darlithydd coginio ar ran Cyngor Sir Feirionnydd a chwaer i neb llai na Tom Ellis, yr Aelod Seneddol Rhyddfrydol lleol. Honnodd Winifred Ellis 'fod gwragedd y chwarelwyr yn rhai gwael am gwcio, eu bod yn rhai gwastraffus, eu bod yn chwedleugar, ac yn hoff o ddillad gwychion'.[5] Teimlai ei bod yn 'hen bryd gorfodi genethod i ddysgu coginio... dylesid dysgu genethod sut i weini ar y claf'.[6]

Yn ei thystiolaeth, gosododd bwyslais ar analluu merched Ffestiniog i ofalu am gleifion methedig. Meddai,

> A branch of cookery which needs reforming is that of the sick room. Many people have but little idea how to make beef tea, mutton broth, and other essentials to the diet of a sick person. It can hardly be expected for an invalid to make progress without nourishing food and careful nursing. Undoubtedly, scores of sick people suffer incalculably from neglect in these two points.[7]

Mae R. Merfyn Jones wedi ein rhybuddio bod adroddiadau o'r fath wedi eu lliwio'n drwm gan ragfarn, ond ei bod hi'n anodd cwestiynu dilysrwydd y dystiolaeth negyddol a gyflwynwyd yn erbyn gwraig y chwarelwr, 'in the absence of written evidence to the contrary'.[8] Efallai mai cyfeirio at y diffyg tystiolaeth wrthwynebol o enau swyddogol a wnâi Jones, gan fod toreth o dystiolaeth ysgrifenedig ym mhapurau newydd y cyfnod yn gwadu ac yn ceisio gwrthbrofi cyhuddiadau'r awdurdodau. Un enghraifft o blith nifer yw'r llythyr a anfonwyd at olygydd *Y Werin* gan gynrychiolwyr chwarelwyr Ffestiniog yn mynegi eu 'anghymeradwyaeth llwyraf' i sylwadau Winifred Ellis; mynnwyd ymddiheuriad 'er mwyn anrhydedd ac enw da...

[eu] gwragedd'.[9] Mewn llythyr arall, honnodd John Thomas, Stryd Dorfil, Blaenau Ffestiniog, y 'gall gwragedd Ffestiniog gerdded law yn llaw a Miss Ellis mewn darbodaeth, cynildeb a glanweithdra'.[10] Gofynnodd, gan awgrymu rhagrith ar ran Winifred Ellis, 'pa un [yw'r] gwaethaf, ai i ferched y chwarelau chwedleua gyda'u gilydd, ynte i Miss Ellis fynd ar draws y wlad i daenu chwedlau?'[11]

Cafwyd ymateb chwyrn gan ferched Ffestiniog hefyd. Cwta wythnos wedi cyhoeddi sylwadau 'Winnie Ellis', mewn cyfarfod o 'ferched Rhyddfrydol Ffestiniog' pasiwyd penderfyniad 'yn condemio gwaith Miss Ellis'.[12] Anfonwyd y penderfyniad ymlaen at Winifred Ellis 'ac hefyd i'r aelod anrhydeddus dros y sir', sef ei brawd, Tom Ellis.

Ychydig wythnosau yn ddiweddarach ymosodwyd ar wragedd chwarelwyr Arfon yn mhapur Rhyddfrydol *Baner ac Amserau Cymru*. Honnwyd bod

> ... pryder, hurtrwydd, anwybodaeth a diffyg profiad ymarferol ar ran cannoedd o wragedd a mamau, pan y gelwir arnynt yn achlysurol i wasanaethu ar glaf... nid ychydig o ddynion sydd wedi colli eu bywyd o herwydd diffyg gofal ac anallu perthynasau agos. Ni ddylai hyn fod.[13]

Nododd y gohebydd fod nifer o bregethwyr ardal Llanberis wedi mynd cyn belled â thraddodi sawl pregeth Sul ar anwybodaeth gwragedd chwarelwyr! Gofynnwyd 'Paham na ddygir nifer o enethod synwyrol ac addysgedig yn ardaloedd Eryri a threfi Arfon i fyny yn *trained nurses*?'[14]

Ym 1894 cyhoeddwyd canfyddiadau *Report of Committee of Inquiry on Conditions under which Quarrying of Stone, Limestone, Slate and Clay is conducted, with Object of diminishing Dangers to Life or Health of Workpeople.* Casglwyd tystiolaeth gan ddoctoriaid lleol gan gynnwys doctoriaid yr ysbytai chwarel. Roedd meddygon yr ardal yn gytûn nad oedd cyflwr iechyd y mwyfafrif llethol o chwarelwyr yn foddhaol i ddweud y lleiaf; roeddent o dan eu pwysau, yn welw a gyda chyhyrau gwan. Yn ystod yr ymholiad galwyd ar Robert Herbert Mills Roberts, Ysbyty Chwarel Dinorwig, i gyflwyno tystiolaeth. Ym marn Mills Roberts,

> The Dinorwic quarryman often marries at too early an age... He marries a girl who is possibly younger than himself and even more inexperienced. **She knows nothing of cooking**... and if she is anxious to learn, she will do so at the expense of her husband's digestion. But as a rule she is not ambitious in this direction, and is quite content to go on the old lines, tea and bread and butter. The husbands think it is all right, so they do not trouble any more about it... The men employed at the Dinorwic quarries ought to be, and with proper feeding... would be, one of the finest races in the world.[15]

Mae dibyniaeth y chwarelwr a'i deulu ar ddeiet o fara menyn a the yn destun sy'n codi dro ar ôl tro. Ym marn Mills Roberts roedd y mwyafrif llethol o chwarelwyr Dinorwig yn bwyta bara menyn a the i frecwast, cinio, te a swper; ychwanegodd fod rhai ohonynt o bryd i'w gilydd yn bwyta ychydig o gaws, tatws a chig moch hefyd.[16] Mae'n ymddangos nad oedd deiet chwarelwyr yn Nyffryn Ogwen lawer gwell; ym 1907, pan ddychwelodd un o gyn-chwarelwyr y Penrhyn i Fethesda wedi cyfnod yn gweithio fel rheolwr mewn chwarel lechi lewyrchus yn Vermont, U.D.A., roedd wedi dychryn o weld pa mor sobor oedd deiet y chwarelwr. Yn ei farn ef, ni fyddai chwarelwr o Gymru yn gallu ymdopi â'r straen o weithio mewn chwarel

Americanaidd 'unless he were much better fed than he is at present'.[17]

Os oedd deiet y chwarelwr cynddrwg, roedd deiet ei wraig yn waeth. Fel rheol, byddai deiet gwragedd dosbarth gweithiol â llai o faeth fyth wrth iddynt aberthu eu bwyd er mwyn bwydo eu gwŷr a'u plant.[18] Byddai beichiogrwydd a genedigaethau parhaus hefyd yn gwanhau eu cyrff a'r diffyg maeth yn ei dro yn arwain at gymhlethdodau peryglus: roedd y ffin rhwng byw a marw yn un denau.

Yn ystod yr ymholiad, ynghyd â deiet annigonol, rhestrodd Mills Roberts bedwar ffactor arall y teimlai eu bod wrth wraidd problemau iechyd y chwarelwr: Dillad, Hylendid, Tywydd a Phriodi'n rhy ifanc.[19] Bu'n ofalus i osgoi nodi unrhyw gysylltiad rhwng safonau iechyd y chwarelwyr a'r chwarel. I'r gwrthwyneb, roedd y meddyg yn ystyried chwarela yn alwedigaeth hynod iach. Wrth gloi ei gasgliadau, meddai, 'it is indeed astonishing that the quarryman is as healthy as he is, but he has to thank the locality and character of the work, and not himself'.[20] Rhaid cwestiynu didwylledd y meddyg gan gofio, wrth gwrs, mai Assheton Smith a oedd yn gyfrifol am dalu ei gyflog! Tybed a oedd chwilio am fwch dihangol ar ffurf y gwragedd yn haws na cheisio ymdrin â pheryglon iechyd a diogelwch dyrys y diwydiant llechi Cymreig?

Yr hyn sydd yn ddiddorol yng nghasgliadau Mills Roberts yw'r ffaith ei fod wedi awgrymu bod rhyw fath o gysylltiad rhwng safonau iechyd diffygiol chwarelwyr Dyffryn Peris a'r gofal a dderbynient gan eu gwragedd, yn arbennig y prydau bwyd a baratowyd ar eu cyfer. Meddai,

> In ordinary health this is very bad, but it becomes very serious in case of illness, for as a rule the women have **not the faintest idea** how to make an attempt at an invalid dish.[21]

Pan ofynnwyd iddo '[if] it is [his] opinion that more evils arise from the conditions of their life than from the conditions of their employment', cytunodd, gan ateb, 'Yes, absolutely.'[22] Roedd meddygon eraill yn barod iawn i eilio sylwadau'r meddyg; yn ystod Cynhadledd Flynyddol *The North Wales Branch of the British Medical Association* yn Llandudno ym 1894, gosododd Dr Jones-Morris, Porthmadog y bai yn llwyr ar wragedd y chwarelwyr, 'many of whom gossiped their time away instead of attending to the comfort of the husbands.'[23] Dyma sylw a achosodd gryn chwerthin ymysg y gynulleidfa!

Yn ei dystiolaeth aiff Mills Roberts ati i ddisgrifio'r gofal annigonol a ddarparwyd ar yr aelwyd, gan achub ar y cyfle i arddangos ei awdurdod a'i arbenigedd. Ar yr un pryd, mae'r meddyg hefyd yn fodlon ysgwyddo ychydig o gyfrifoldeb dros iechyd trigolion yr ardal wrth iddo geisio canfod ffyrdd i wella'r sefyllfa. Nododd ei fod eisoes wedi sefydlu dosbarthiadau coginio yn ogystal â chyhoeddi a dosbarthu pamffledi printiedig (*Iechyd y Chwarelwyr*) gydag ychydig awgrymiadau ymarferol ymysg y gweithwyr.[24] Yn y pamffled hwn, gofynnodd Mills Roberts i'r chwarelwr 'roddi o leiaf yr un chwareu teg i'w gorph a'i iechyd ag y mae yn roddi i'w fargen yn y chwarel.'[25] Amgrymodd y dylid ceisio amrywio'r deiet trwy fwyta 'uwd, bara ceirch, potes, llaeth, cocoa, llysiau o'r ardd, megis pys, ffa, maip, moron a'r gwahanol wyrddlysiau.'[26] Bron i ddeg mlynedd wedi cyhoeddi pamffledi Mills Roberts roedd Dr Lloyd Williams, Llanberis yn dal i gwyno am ddeiet chwarelwyr Dinorwig. Honnodd eu bod 'i bob diben yn byw ar fara, ymenyn a thê', a chwynodd fod 'magwraeth ddiofal am **dair cenhedlaeth**' wedi meithrin gwŷr a gwragedd gwan.[27] Erbyn 1903 roedd Dr Lloyd Williams o'r farn ei bod hi bellach yn 'rhyhwyr codi llef.'[28]

Pwynt sydd efallai yn anos i'w drafod yw dilysrwydd

honiadau o'r fath. Gellir dadlau bod sylwadau'r meddygon yn adlewyrchiad o ddiffyg dealltwriaeth ymysg doctoriaid o wir effeithiau tlodi; onid oedd hi'n ddigon hawdd i ŵr dosbarth canol fel Mills Roberts – a oedd yn ennill cyflog blynyddol o £550 (£50,000 yn arian heddiw) – farnu merched dosbarth gweithiol, tlawd? Ar gyflog felly, roedd Mills Roberts yn gallu fforddio nid yn unig i brynu bwyd da ond hefyd i gyflogi cogyddion.[29] Dim ond yn ystod 'dyddiau gwell a chodiad mewn cyflogau' y gallai gwragedd y chwarelwyr brynu nwyddau megis cig.[30]

Yn Nyffryn Peris a thu hwnt, roedd gwragedd y chwarelwyr yn llwyr ddibynnol ar gyflogau eu gwŷr; golygai hyn fod cynnwys y bwrdd bwyd yn dibynnu ar drosglwyddiad arian didwyll rhwng gŵr a gwraig. Mae tystiolaeth yn awgrymu nad oedd y chwarelwr bob amser yn onest gan guddio ychydig o'i gyflog oddi wrth ei wraig. Y term tafodieithol am hyn yw 'celc':

> arian poced a gedwir o'r neilltu ar y slei gan rai chwarelwyr ar ddiwedd mis... yr unig ffordd i gael y gwir [oedd] trwy holi un o'r gwragedd eraill a chymharu'r cyflogau.[31]

A yw'r term 'celc' yn adlewyrchiad o gaethiwed merched dosbarth gweithiol neu'n cadarnhau'r syniad eu bod yn wastraffus a bod *angen* cuddio ychydig o'r arian oddi wrthynt? Mae'n bur debyg bod elfennau o wirionedd yng nghyhuddiadau'r awdurdodau, ond maent yn euog o gyffredinoli ynghylch holl ferched y gymuned chwarelyddol, ac fel y dywedodd un sylwebydd dychanol, o osod 'y lliwiau... yn rhy ddu o gryn lawer!'[32]

Yn hanesyddol, mae'r gofal a ddarparwyd gan berthnasau'r claf wedi mynd yn angof ac yn aml, fe gyfeirir at y rheiny a oedd yn darparu gofal ar yr aelwyd fel darparwyr 'anweledig'. Y prif reswm dros y diffyg sylw yw'r diffyg ffynonellau cynradd; fel rheol ni fyddai'r gofal a ddarparwyd gan berthnasau yn cael ei gofnodi, yn wahanol efallai i gymorth 'swyddogol' megis cymorth plwyf. Mae erthyglau papur newydd yn cynnig tystiolaeth brin o'r gofal a ddarparwyd gan deuluoedd cleifion. Mae negeseuon o wellhad buan yn aml yn nodi bod y claf yn derbyn triniaeth gartref, megis Mr. W. Jones, Glandwr, Pentref Castell. Wedi 'codwm sydyn' yn ei ardd; 'cariwyd ef i'w wely', a dymunai'r hysbyseb 'ei weled ef cyn hir yn holliach heb olion y codwm trwm tramawr arno'.[33] Mewn hysbysiadau tebyg, mae'r negeseuon yn awgrymu bod y claf yn derbyn gofal gan berthnasau agos ar yr aelwyd, megis 'Thomas O. Owens, Glan yr Afon-terrace, Nant Peris... wedi [iddo] dderbyn niwed yn y chwarel'; nodwyd bod Thomas eisoes wedi bod gartref ers dros fis yn gwella.[34]

Mae tystiolaeth yn awgrymu nad oedd cartrefi chwarelyddol yn llefydd delfrydol ar gyfer claf. Yn ôl llythyr a anfonwyd gan Robert H. Parry, arolygwr ar ran Cyngor Dosbarth Gwledig Gwyrfai, roedd safon tai Glan yr Afon, Nantperis – rhes o dai ym meddiant Ystad y Faenol – yn llwyr ddiffygiol.[35] Nododd yr arolygwr bod nifer o 'sanitary defects' mewn o leiaf saith tŷ. Cwynodd Parry yn bennaf am natur damp y tai a'r ffaith bod y mwyafrif ohonynt yn gollwng dŵr gan achosi i'r nenfydau ddadfeilio. Mewn llythyr a anfonwyd gan asiant y Faenol at gwmni cyfreithwyr Allanson & Co., Caernarfon, disgrifiwyd y diffygion uchod fel 'trivial repairs... [which] the Gwyrfai District Council... [are] constantly harassing us with' – 'mân atgyweiriadau', tybed?[36] Mae tai Glan yr Afon, Nantperis yn enghraifft berffaith o dai chwarelyddol cyffredin ac yn cynnig bras olwg o'r amgylchedd anaddas a oedd yn wynebu cleifion a'u gofalwyr.

Nid tasg hawdd fyddai adfer iechyd claf dan yr amodau

a ddisgrifiwyd yn llythyr Robert H. Parry, yn arbennig y cleifion hynny a fu'n dioddef gartref am gyfnodau hir – wythnosau os nad misoedd. Wrth ofalu am glaf ni fyddai gorchwylion domestig y ferch yn peidio; byddai disgwyl iddi gadw'r tŷ, golchi'r dillad a choginio yn ogystal â gofalu am ei phlant, hyn oll a hithau'n gofalu am berthynas sâl. Yn naturiol, byddai salwch perthynas yn achosi straen corfforol ac emosiynol yn ogystal ag effeithio'n ddifrifol ar lwfans yr aelwyd. Byddai salwch hirdymor y gŵr yn ei atal rhag ennill cyflog i gynnal ei deulu, gan olygu bod gwragedd yn aml wedi gorfod gofalu am eu gwŷr yn ystod cyfnod o galedi economaidd sylweddol. Hyd yn oed os oedd y gŵr yn iach ac yn ennill ei gyflog arferol, roedd salwch yn y teulu yn arwain yn anochel at gostau wythnosol ychwanegol, wrth i'r gofalwr geisio prynu nwyddau, moddion neu fwydydd penodol mewn ymgais i gryfhau'r claf.

Mae colofnau hunangymorth ym mhapurau newydd a chylchgronau'r cyfnod yn rhestru'r math o gynhwysion oedd eu hangen ar wraig tŷ yn ystod cyfnod o salwch. Yng ngholofn 'Manion Teuluaidd' cylchgrawn *Y Gymraes* ceir nifer o awgrymiadau meddygol amrywiol. Un cynhwysyn go ryfeddol ym marn un awdur oedd pupr *cayenne.* 'At boenau sydyn yn y frest neu'r coluddion', awgrymwyd y dylid 'yfed cwpaneidiau o ddwfr poeth a *cayenne pepper* ynddo. Dylid cadw *cayenne pepper* yn y tŷ bob amser.'[37] Cynhwysyn poblogaidd arall oedd traed lloi bach, neu i fod yn fanwl gywir, y jeli a ddaw trwy ferwi traed lloi am oriau. Roedd modd defnyddio'r jeli hwn i greu 'diod iach a chref i rai mewn afiechyd.'[38] Yn ystod y ddeunawfed ganrif, roedd elusennau o bryd i'w gilydd wedi dosbarthu jeli traed lloi ymysg y tlodion a thrwy'r arferiad hwn daeth pobl i ddechrau credu yng ngallu llesol y jeli. Yn rhifyn Gorffennaf 1906 o'r *Gymraes* ceir cyfarwyddiadau manwl yn egluro'r broses lafurus o greu'r jeli. Roedd gofyn berwi'r ddwy droed mewn dau chwart o ddŵr am deirawr. Wedi eu berwi, roedd angen hidlo'r dŵr a oedd yn weddill ac wedi i'r hylif oeri roedd rhaid mynd ati i godi 'ymaith bob mymryn o fraster'. At y jeli roedd rhaid ychwanegu melynwy wy, ychydig o fenyn a sudd lemwn. Awgrymwyd y dylid sicrhau bod y claf yn yfed y gymysgedd o leiaf dwy os nad tair gwaith y dydd.[39]

Ar gyfer cyflwr cyffredin megis cur pen awgrymwyd y dylid malu *horseradish* yn fân, ei wasgu yn eich llaw ac yna ei arogli, neu yn lle hynny honnwyd hefyd bod 'anadlu halen i fyny'r ffroen' yn gwella cur pen mewn dim.[40] Cynigiwyd awgrymiadau er mwyn trin clefydau mwy difrifol hefyd megis difftheria neu'r clefyd coch. Yn ystod y bedwaredd ganrif ar bymtheg roedd difftheria yn glefyd angheuol a oedd yn effeithio ar lwybr yr anadl a'r croen. Os oedd amheuaeth bod claf yn dioddef o ddifftheria awgrymwyd y dylid berwi 'cwpan dê o *turpentine* a'r hanner arall o tar... nes y bod ager yn llenwi yr ystafell'. Byddai'r ager gyda lwc yn 'gwneud i'r claf besychu, a phoeri y drwg o'r gwddf'. Yn eironig, byddai'r *turpentine* yn ei dro yn achosi sgileffeithiau megis cur pen, pendro, cyfog, dryswch a churiad calon cyflymach.

Mewn ysgrif arall a gyhoeddwyd yn *Y Gymraes*, mynnwyd y 'dylai claf ymhob amgylchiad gael ystafell wely iddo ef ei hun'.[41] Byddai'r gorchymyn hwn wedi profi'n amhosib ei gyflawni yn ardaloedd chwareli'r gogledd. Yn ôl Cyfrifiad 1881 roedd 3,033 o bobl yn byw mewn 275 tŷ ym mhlwyf Llanberis; ar gyfartaledd roedd o leiaf 10 person yn byw ym mhob tŷ, ffigwr sy'n awgrymu problem orboblogi sylweddol.[42] Yn y cyfnod dan sylw, nid anghyffredin oedd rhannu bythynnod neu dai teras yn ddau er mwyn cartrefu dau deulu. Byddai amodau byw o'r fath yn arwain at ddiffyg preifatrwydd yn ystod cyfnod o wendid yn ogystal â chynyddu'r risg o drosglwyddo haint.

Os nad oedd perthnasau agosaf y claf yn byw yn yr un tŷ mae tystiolaeth yn awgrymu bod cleifion wedi teithio cryn bellter i dderbyn gofal, megis 'Mr. Griffith Jones, Cae Esgob, Llanberis' a fudodd i Lundain i fyw gyda'i ferch 'Mrs. Davies'. Yno, cafodd 'bob gofal, tiriondeb, ac ymgeledd y gallodd cariad ymlyngar a hunan-aberthol **merch** ei wneyd i dad'.[43] Mae erthyglau eraill yn datgelu bod cleifion wedi dychwelyd i'w cartrefi genedigol er mwyn derbyn gofal, megis 'priod Mr Thomas Jones, Ystablau, Penisa'rwaen'. Mae'r adroddiad yn nodi ei bod wedi dychwelyd 'ar ddechreu ei salwch... i Bodhyfryd, Nant Peris, sef anedd-dy ei **mham**, Mrs Evans, er mwyn iddi fod dan ei gofal a'i sylw parhaus'.[44] Yn dilyn cyfnod o salwch dygwyd 'Maggie J. Williams, gwraig Mr. G. O. Williams, postman Caernarfon i'r Ty Newydd, Nantperis, anedd-dy ei rhieni. Disgwylia... y bydd iddi, o dan ofal ei mam a'i **chwaer** ac awelon iach Eryri, wellhau yn drwyadl'.[45] Mae'r negeseuon uchod yn awgrymu bod holl ferched y teulu wedi bod ynghlwm â'r gofal a ddarparwyd ar gyfer y claf, boed yn famau, chwiorydd neu ferched.

Er gwaethaf sylwadau beirniadol doctoriaid ynglŷn ag ansawdd y gofal a ddarparwyd gan wragedd chwarelyddol, does dim gwadu'r ffaith bod ganddynt ran hollbwysig i'w chwarae ar yr aelwyd, ac, er ein bod yn cydnabod y chwyldro a fu ym myd meddygaeth a'r proffesiwn meddygol yn ystod oes Fictoria, ni ellir osgoi'r ffaith bod y gefnogaeth a'r gofal a ddarparwyd gan deulu'r claf wedi parhau'n greiddiol bwysig. Er gwaethaf safbwyntiau ymosodol Mills Roberts, mae modd gweld y cyfuniad yma o ofal ffurfiol y meddyg a chefnogaeth barhaus y merched yn cyd-dynnu yn Nyffryn Peris hefyd. Ym 1906, dathlwyd y ffaith bod 'Mr. Owen C. Closs, Tan-y-Bryn' a fu'n dioddef 'oddiwrth ryw anhwylder corphorol peryglus' a 'Mr Abraham G. Williams, Pen-y-Bryn' a gollodd ei goes yn y chwarel 'yn gwella yn dda'. Mynnodd gohebydd *Gwalia* bod 'rhaid priodoli hyn i fedr y Dr Mills Roberts, a gofal "nurses" cartrefol, sef mam anwyl un a gwraig dyner y llall'.[46]

Nodiadau

1. Jones, *The North*, t. 41.
2. *Cyfansoddiadau Buddugol Eisteddfod Dinbych, 1860: ynghyd a Hanes ei gweithrediadau* (Dinbych, 1863), t. 104.
3. *Y Tyst Cymreig*, 10 Medi 1869, t. 2.
4. Ibid.
5. *Baner ac Amserau Cymru*, 9 Mai 1894, t. 5.
6. *Y Cymro*, 12 Ebrill 1894, t. 3.
7. *A Report of the Departmental Committee upon Merionethshire Slate Mines* (1895), t. 133.
8. Jones, *The North*, t. 41.
9. *Y Werin*, 28 Ebrill 1894, t. 3.
10. Ibid., 21 Ebrill 1894, t. 3.
11. Ibid.
12. *Y Genedl Gymreig*, 17 Ebrill 1894, t. 5.
13. *Baner ac Amserau Cymru*, 6 Mehefin 1894, t. 5.
14. Ibid.
15. *Report of Committee of Inquiry on Conditions under which Quarrying of Stone, Limestone, Slate and Clay is conducted, with Object of diminishing Dangers to Life or Health of Workpeople* (1893–4), tt. 25-6.
16. Ibid., t. 25.
17. *Carnarvon and Denbigh Herald*, 27 Rhagfyr 1907, t. 7.
18. Pat Thane, 'Women and the Poor Law in Victorian and Edwardian England', *History Workshop*, 6 (Hydref 1978), t. 34.
19. *Report of Committee of Inquiry on Conditions under which Quarrying of Stone, Limestone, Slate and Clay is conducted, with Object of diminishing Dangers to Life or Health of Workpeople* (1893–4), t. 25.
20. Ibid.
21. Ibid.
22. Ibid., t. 26.
23. *The North Wales Chronicle*, 28 Gorffennaf 1894, t. 5.
24. GAG DQ/1713 Pamffled meddyg Ysbyty Chwarel Dinorwig, awgrymiadau ynghylch iechyd yn y chwarel, y cartref, dillad, glanweithdra a deiet (Awst 5, 1894)

25. *Y Werin*, 1 Medi 1894, t. 3.
26. Ibid.
27. *Y Negesydd*, 23 Gorffennaf 1903, t. 1.
28. Ibid.
29. Yn ôl manylion Cyfrifiad Cenedlaethol 1891 roedd gan Mills Roberts gogydd preswyl o'r enw Ellen Lewis. Erbyn 1901 roedd cogydd o'r enw Mary Jones yn byw gyda'r meddyg. Mae'n werth nodi bod y ddwy wedi symud i'r ardal; o Amlwch y daeth Ellen yn wreiddiol ac roedd Mary yn frodor o Lanengan, Llŷn.
30. *Y Dydd*, 14 Tachwedd 1890, t. 10.
31. Emyr Jones, *Canrif y Chwarelwr* (Dinbych, 1964), t. 130.
32. *Y Werin*, 21 Ebrill 1894, t. 3.
33. *Gwalia*, 19 Tachwedd 1907, t. 3.
34. Ibid., 21 Tachwedd 1910, t. 4.
35. GAG Vaynol 2307 Disgrifiad o dai ym meddiant Ystad y Faenol (1900)
36. GAG Vaynol 2307
37. *Y Gymraes*, Chwefror 1906, t. 24.
38. Ibid., Gorffennaf 1906, t. 104.
39. Ibid.
40. Ibid., Tachwedd 1908, t. 66.
41. Ibid., Mai 1908, t. 168.
42. Parry, *Llanberis*, t. 123.
43. *Y Goleuad*, 2 Ebrill 1881, t. 14.
44. *Gwalia*, 25 Gorffennaf 1910, t. 4.
45. Ibid., 4 Mehefin 1907, t. 3.
46. Ibid., 1 Tachwedd 1904, t. 3.

'Ysprud Undeb'[1]: Cymdeithasau Cyfeillgar a Chyngherddau Lles

Ar draws y broydd llechi, datblygwyd rhwydwaith o gymdeithasau cyfeillgar amrywiol. Yn eu hanfod, roeddent yn fudiadau lle'r oedd dynion a oedd yn adnabod ei gilydd neu'n dilyn yr un alwedigaeth yn talu arian rheolaidd tuag at gronfa gyffredin. Yn ystod cyfnodau o galedi roedd y dynion yn gallu troi at eu cronfa am gymorth. Eu prif bwrpas oedd sicrhau incwm i'r gweithiwr yn ystod cyfnod o salwch yn ogystal â thalu costau cynhebrwng. Roedd mudiadau cydgymorth fel cymdeithasau cyfeillgar yn galluogi'r dosbarth gweithiol i amddiffyn eu hunain yn wyneb salwch ac yn eu hatal rhag dibynnu ar elusen. Trwy ymuno â chymdeithas gyfeillgar roedd y gweithiwr yn gweithredu er mwyn hyrwyddo ei les ef a'i deulu yn ogystal â lles ei gyd-weithwyr. Er bod rhai o ddeddfau llym y llywodraeth wedi annog dynion i ffurfio cymdeithasau cyfeillgar, nid oeddent yn fudiadau a oedd yn deillio'n uniongyrchol o ddeddfwriaeth; cawsant eu sefydlu yn sgil y brawdgarwch a fodolai ymysg dynion cyffredin.

Cymdeithas gyfeillgar sydd yn werth ei thrafod yw Cymdeithas Caredigion Dinorwig. Sefydlwyd y gymdeithas ym 1835 a thrwy 'danysgrifiadau gwirfoddol yr aelodau', darparwyd budd-daliadau 'ar gyfer cynorthwyo neu gadwraeth... mewn achosion o salwch neu wendid... corphorol neu feddyliol'.[2] Cyfyngwyd aelodaeth o'r Gymdeithas i fechgyn a dynion rhwng pymtheg a deunaw ar hugain mlwydd oed; roedd yn rhaid i'r unigolyn fod 'yn iach, ac yn rhydd oddi wrth unrhyw wendidau corphorol, ac yn byw o fewn 6 milldir i Swyddfa Gofrestredig y Gymdeithas' yng Nghlwt-y-bont.[3] Gofynnwyd i'r holl aelodau dalu blaendal cyn ymaelodi, ac roedd y gost yn amrywio rhwng dau swllt chwe cheiniog (£10 yn arian heddiw) i fechgyn pymtheg oed a phymtheg swllt (£60 erbyn heddiw) i ddynion deunaw ar hugain. Roedd hi'n ofynnol i aelod dalu taliad misol o swllt am ddeuddeg mis cyn iddo dderbyn claf-dâl. Os byddai 'trwy afiechyd neu ddamwain... yn analluog i ddilyn ei orchwyl', derbyniai

> bum swllt yr wythnos am y flwyddyn gyntaf, pedwar swllt yr wythnos am yr ail, tri swllt am y drydedd, dau swllt a chwe cheiniog yr wythnos am y bedwaredd ac am y cyfnod y byddo yn analluog.[4]

Mae'n debyg nad oedd angen i'r Gymdeithas ddarparu meddyg, oherwydd 'fod Mr Assheton Smith wedi bod mor garedig a rhoddi meddyg er gwasanaethu gweithwyr Chwarelau Dinorwig'.[5] I'r dosbarth gweithiol, a oedd yn byw ar fin y gyllell roedd salwch a fyddai'n ddigon drwg i atal unigolyn rhag gweithio yn gallu arwain at broblemau ariannol trychinebus. Darparwyd 'gofal' i'r aelodau ar ffurf taliadau ariannol yn unig, taliadau a fyddai'n cynnal y claf a'i deulu yn ystod cyfnod o salwch.

Roedd aelodaeth o gymdeithas gyfeillgar yn brawf o gymeriad parchus gweithiwr. Er mwyn cynnal safon yr aelodaeth roedd gofyn i'r holl aelodau ddilyn bywydau moesol a chywir; roedd cymeriad ac ymddygiad cyffredinol yr unigolyn i raddau yn pennu ei hawl i ymuno â chymdeithas o'r fath. Mae llyfryn rheolau'r Caredigion yn nodi'n glir na chaniatawyd aelodaeth i 'neb heb feddu cymeriad moesol da... neb sydd yn dueddol o yfed i ormodedd'.[6] Nid oedd rheolau haearnaidd Caredigion Dinorwig yn eithriad i'r patrwm; roedd natur fusneslyd pwyllgorau cymdeithasau cyfeillgar yn rhan annatod o'u gweinyddiaeth. Pe bai aelod o'r Caredigion yn rhegi neu'n defnyddio iaith anweddus yn swyddfa gofrestredig y clwb byddai disgwyl i'r aelod dalu swllt (£4 yn arian heddiw) o ddirwy; pe bai aelod yn bygwth cwffio ag aelod arall yn ystod cyfarfod roedd yn rhaid iddo dalu dirwy o bum swllt, ffigwr sy'n gyfystyr ag £20 yn arian heddiw.[7] Am feddwi roedd rhaid talu dirwy o ddau swllt chwe cheiniog (£10), pe bai'r aelod yn parhau i yfed am ail ddiwrnod roedd rhaid talu dirwy o dri swllt (£12), ac ar y trydydd diwrnod o feddwdod roedd rhaid talu dirwy gwerth pum swllt (£20).

Roedd yr 1870au yn gyfnod llewyrchus i'r diwydiant llechi Cymreig. Arweiniodd y twf mewn masnach at gyflogau uwch, a gydag arian gwario yn llosgi yn eu pocedi trodd nifer o chwarelwyr tua'r tafarndai. Erbyn 1875 roedd meddwdod ymhlith chwarelwyr yn nyffrynnoedd Peris, Ogwen a Nantlle wedi datblygu'n destun trafod o bwys yn y wasg, gydag erthyglau niferus yn cwyno am hoffter chwarelwyr o ddiota. Ym marn un gohebydd roedd ymddygiad 'chwarelwyr Nantlle a Llanberis yn hollol annheilwng o'n gwlad a'n cenedl'. Ar 'ddiwrnod eu talu' teithiai 'minteioedd i lawr o'r cymydogaethau hyn... [i dref Caernarfon] ac nid digon ganddynt yfed hyd feddwi – rhaid iddynt hwy wrth ymladdfeydd a chythrwfl barbaraidd'.[8] Tra bod haneswyr lleol wedi gosod bri ar ddirwest ym mhentrefi'r chwareli ac ar loywder moesol y chwarelwr, hawdd yw anghofio'r ffaith nad oedd pawb o blaid llwyrymwrthodaeth.[9]

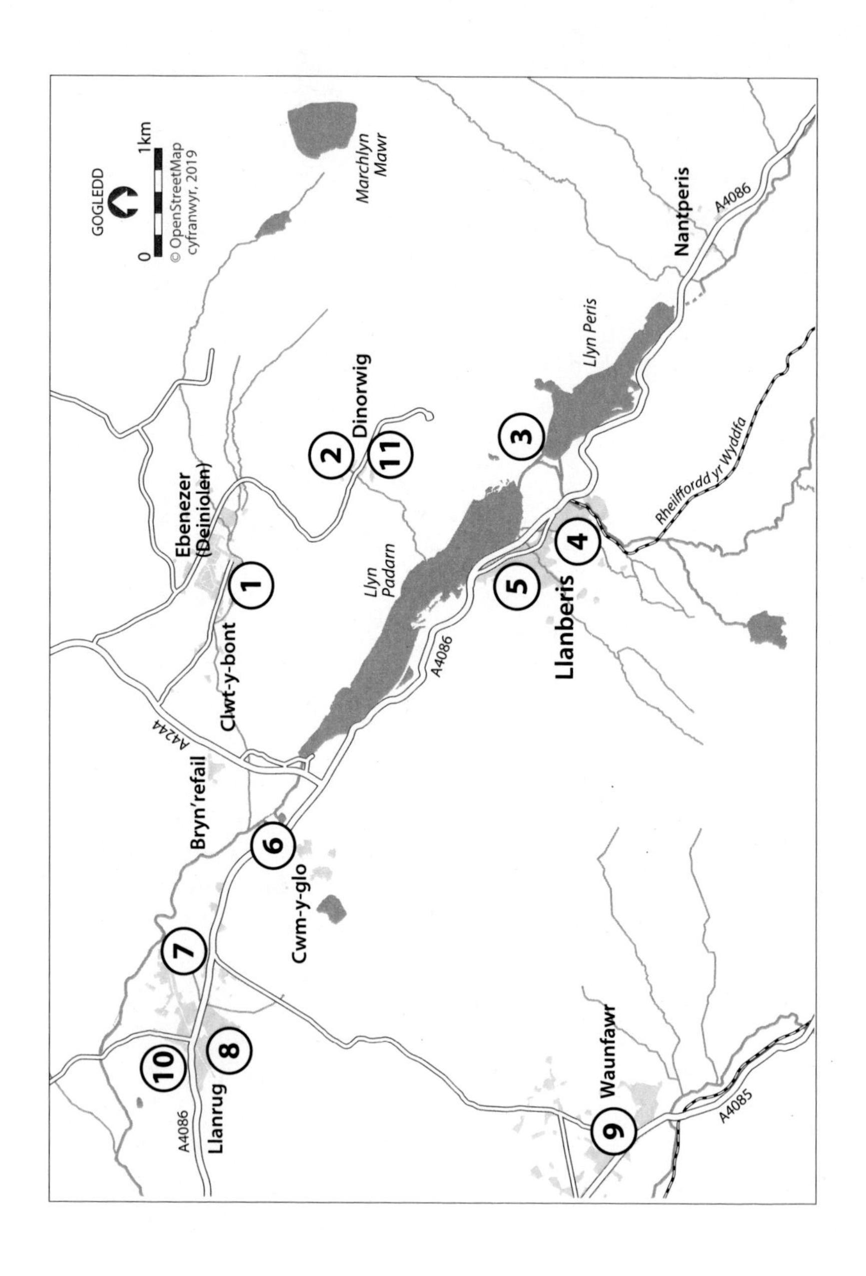
GOGLEDD
0
1km
© OpenStreetMap cyfranwyr, 2019
Marchlyn Mawr
Nantperis
A4086
Llyn Peris
Dinorwig
Ebenezer (Deiniolen)
Clwt-y-bont
Llyn Padarn
Llanberis
Rheilffordd yr Wyddfa
A4086
A4244
Bryn'refail
Cwm-y-glo
Llanrug
A4086
Waunfawr
A4085
1
2
3
4
5
6
7
8
9
10
11

1 Caredigion Dinorwig
2 Cymdeithas Dinorwig
3 Cymdeithas Cronfa Chwarelau Dinorwig
4 Caredigion Nant Padarn
5 Cymdeithas Llanberis
6 Clwb Cyfeillgar Cwm-y-glo
7 Cymdeithas Glannau Rhyddallt
8 Clwb Llanrug
9 Cymdeithas Glannau Gwyrfai
10 Glan Ivor Mutual Assistance Society
11 Cymdeithas Gyfeillgar Llwyr Ymwrthodol Dinorwig a'i Chymdogaeth

Yn ystod yr 1890au casglodd pwyllgor Caredigion Dinorwig ddirwyon gwerth tros £10 bob blwyddyn – oddeutu £800 yn arian heddiw – sy'n awgrymu bod nifer o chwarelwyr wedi torri rheolau'r Gymdeithas!

Diwrnod pwysig yng nghalendr cymdeithasau cyfeillgar oedd diwrnod 'y clwb'. Yn y bore roedd cyfle i'r aelodau astudio llyfrau'r gymdeithas ac yn y prynhawn cynhelid gorymdaith gyda band gwadd yn arwain; roedd disgwyl i holl aelodau'r gymdeithas wisgo sashys arbennig.

Nid Caredigion Dinorwig oedd yr unig gymdeithas gyfeillgar yn Nyffryn Peris. Erbyn degawd olaf y bedwaredd ganrif ar bymtheg, o fewn cylch o bum milltir i Lanberis roedd o leiaf deg cymdeithas arall.[10]

Gyda chymaint o fudiadau ni chyfyngwyd gweithwyr i un gymdeithas benodol; gallai gweithiwr o Lanberis ymuno â'r gymdeithas agosaf ato (Clwb Llanberis neu Garedigion Nant Padarn) ond pe dymunai byddai ganddo berffaith hawl i ymuno â Chlwb Cyfeillgar Cwm-y-glo neu Glwb Llanrug – neu'n fwy dadleuol fyth, sawl un ohonynt. O bryd i'w gilydd, lleisiwyd pryder bod rhai gweithwyr yn perthyn i sawl cymdeithas gyfeillgar wahanol ac yn derbyn incwm da yn ystod cyfnod o salwch. Byddai pwyllgorau'n amheus o unrhyw glaf a oedd yn byw yn rhy gyfforddus a byddent yn barod i gwestiynu a diarddel unrhyw aelod a oedd yn euog o dwyll.[11]

Roedd cymdeithasau cyfeillgar yn fudiadau a oedd yn tyfu a chrebachu trwy gydol eu bodolaeth, dibynnent ar sylfaen ariannol gyson, sylfaen a ffurfiwyd gan danysgrifiadau eu haelodau. Gyda chymaint o gymdeithasau wedi eu lleoli yn Nyffryn Peris, gellir dychmygu bod tipyn o gystadleuaeth rhyngddynt. Ym marn un cyfoeswr a ysgrifennai dan y *nom de plume* 'Pryderus', roedd gormod o gymdeithasau cyfeillgar wedi eu lleoli yn yr ardal.[12] Meddai,

> Mae sefyllfa gwahanol gymdeithasau cyfeillgar yr ardaloedd hyn yn gyfryw ag y dylai yr aelodau ei ystyried yn ddifrifol. Credaf fod eu rhif yn rhy luosog i fod yn llwyddiannus... Y mae pob un o'r rhai hyn yn gwneyd eu goreu er eangu cylch a dylanwad eu cymdeithas eu hunain... er's blynyddau mae cymdeithasau yn myned i draul a thrafferth i adgyweirio eu rheolau, a hyny yn aml yn achosi pryder a cholled i gymdeithas arall... trwy fod aelodau yn symud o'r naill i'r llall.[13]

Mae adroddiadau blynyddol Prif Gofrestrydd y Cymdeithasau Cyfeillgar yn cefnogi sylw 'Pryderus' ynglŷn â natur anwadal aelodaeth cymdeithasau cyfeillgar Dyffryn Peris.[14]

Cymdeithas Gyfeillgar	**Nifer yr Aelodau a'r Flwyddyn**			
	1879	**1880**	**1886**	**1891**
Caredigion Dinorwig	613	632	648	500
Clwb Cyfeillgar Cwm-y-glo	252	245	238	421
Cymdeithas Glannau Gwyrfai	356	346	318	213
Caredigion Nant Padarn	160	142	167	121

Yn ôl 'Pryderus' addaswyd rheolau Clwb Cwm-y-glo yn ystod yr 1880au, a thrwy hyn llwyddwyd i ddenu rhagor o aelodau 'ieuainc'; rhwng 1880 a 1891 ymaelododd 176 o weithwyr â Chymdeithas Cwm-y-glo.

Roedd Clwb Cwm-y-glo – a sefydlwyd ym 1872 – yn gymdeithas gymharol newydd, yn arbennig o'i chymharu â Chymdeithas Caredigion Dinorwig a sefydlwyd ym 1835 a Chymdeithas Glannau Gwyrfai a sefydlwyd ym 1834. Fel yr oedd y cymdeithasau cynnar yn heneiddio, felly hefyd yr aelodau, a'r baich ariannol o'u cynnal yn cynyddu. I sicrhau coffrau llawn roedd hi'n angenrheidiol i gymdeithasau geisio denu dynion ifanc, iach; gyda'u taliadau nhw roedd modd cynhyrchu digon o drosiant i dalu budd-daliadau'r aelodau hŷn. Roedd y rheolau haearnaidd a drafodwyd yn gynharach wedi eu creu ar gyfer diogelu cyflenwad ariannol cymdeithasau yn ogystal â chynnal safon yr aelodaeth.

Ym 1891 roedd Cymdeithas Glannau Gwyrfai wedi derbyn gwerth £3,815 mewn taliadau, ond roeddent wedi talu gwerth £6,802 mewn budd-daliadau sy'n golygu bod y gymdeithas wedi gwneud colled o £2,328 ar gyfer y flwyddyn honno, ffigwr sy'n gyfystyr â £188,000 yn arian heddiw![15] Mae'n debyg y byddai aelodau ifanc yn awyddus i adael cymdeithasau cyfeillgar lle'r oedd yr aelodaeth yn gynyddol hŷn, manylyn a fyddai'n esbonio'r gostyngiad a welwyd ar gyfer y Caredigion a Chymdeithas Glannau Gwyrfai.

Awgrymodd 'Pryderus' fod modd 'adfer' y sefyllfa trwy 'geisio uno yr holl gymdeithasau â'u gilydd yn un gymdeithas gref a dylanwadol'.[16] Mae'n amlwg bod geiriau'r awdur wedi taro tant ymysg y cymdeithasau; ym mis Ionawr 1891 cynhaliwyd cyfarfod rhwng holl gymdeithasau'r dyffryn yng Nghapel y Methodistiaid Calfinaidd yng Nghwm-y-glo. Amcan y cyfarfod oedd sicrhau 'mwy o undeb a chydweithrediad' rhwng y gwahanol gymdeithasau er mwyn 'dwyn ymlaen yn fwy cyflawn ac effeithiol'.[17] Yn absenoldeb cofnodion y cymdeithasau mae hi'n amhosibl penderfynu a wireddwyd yr amcan uchod. Mae rheolau Clwb Caredigion Dinorwig ar gyfer y flwyddyn 1896 yn awgrymu na fu'r ymgyrch yn llwyddiant; nodwyd yn glir nad oedd

> yr un o aelodau y Gymdeithas... i gael bod yn aelod o gymdeithas gyfeillgar arall, oddieithr y rhai perthynol i ryw weithfeydd, megis Cymdeithas Chwarelau Dinorwig.[18]

Mae'n amlwg mai parhau a wnaeth yr elfen gystadleuol.

Er gwaethaf presenoldeb amlwg cymdeithasau cyfeillgar ym mywyd cyhoeddus y dyffryn, mae tystiolaeth yn awgrymu nad oedd mudiadau bob amser yn llwyddo i gyflawni eu hamcan a chynnig cynhaliaeth i'w haelodau yn ystod caledi. Caiff y methiant hwn ei amlygu trwy ddibyniaeth y gymuned chwarelyddol ar gyngherddau lles.[19] Cwynodd 'Pryderus' eu bod wedi dod yn ddigwyddiadau rhy gyffredin o lawer, a theimlai eu bod bellach yn cael eu cynnal 'mor aml fel y maent yn faich... [mae] amryw o honynt yn syrthio yn fyr o unrhyw elw i'r amcan y bwriedid iddo fod'.[20]

Roedd cyngherddau lles yn rhan annatod o ddiwylliant y broydd llechi, yn draddodiad a barhaodd hyd at yr 1930au ac yn gyfle i ddoniau lleol fagu profiad ac ennill poblogrwydd.[21] Mae cysylltiad amlwg rhwng cyngherddau lles a chryfder Anghydffurfiaeth gyda'r mwyafrif o gyngherddau yn cael eu cynnal yn y capel neu'r concert hall, gyda'r Gweinidog yn arwain y noson. Er mwyn sicrhau'r elw mwyaf posib roedd disgwyl i unigolion a grwpiau roi eu gwasanaeth yn rhad, os nad am ddim. Ym mis Hydref 1869, siomwyd cymdogaeth Ebenezer pan gyhoeddwyd bod y 'Penrhyn Brass Band' a'r 'Penrhyn Glee Society' wedi codi tâl o £3 (oddeutu £200 yn arian heddiw) am ganu mewn cyngerdd er budd 'Owen Williams, Yspytty, Dinorwig' a fu'n 'analluog am fisoedd' wedi iddo 'golli ei lygad yn y gloddfa.'[22]

Mae trosolwg o bapurau newydd y cyfnod yn cefnogi'r sylw a wnaed ynglŷn ag amlder cyngherddau, ond nid o reidrwydd ynglŷn â'u llwyddiant. Ym 1894, cyhoeddodd gohebydd Ebenezer gyda chryn falchder y gallai ddweud

> yn ddibetrus... nad oes braidd un mis yn ystod blwyddyn yn myned heibio na byddis yn cynal cyngherdd... er budd a llesiant yr anghenus, y cystuddiol, a'r trallodus.[23]

Un enghraifft o blith nifer yw'r cyngerdd 'godidog' a gynhaliwyd ym mis Hydref 1905 'at gynorthwyo Mr. W. Lloyd Jones, Well Street, Llanberis yn ei hir waeledd'; derbyniwyd elw clir o oddeutu £38, oddeutu £2,900 yn arian heddiw.[24] Cynhaliwyd cyngherddau er budd merched yn ogystal. Ym mis Awst 1884, cynhaliwyd cyngerdd 'mawreddog' er budd 'Margaret Pritchard, Bron Heulog Llanberis'; er na nodwyd union swm yr elw, cyhoeddodd 'y llywydd fod yr elw yn dda.'[25] Ym mis Rhagfyr 1896, cynhaliwyd cyngerdd er budd Mr. J. T. Williams, Blaen y Ddôl, Llanberis, a dathlwyd y ffaith y 'cafwyd elw clir... o oddeutu £21', yn fras £1,600 yn arian heddiw.[26] Diddorol yw'r sylw dilynol: mynnodd y gohebydd bod cyngherddau lles 'wedi bod yn gyfryngau i loni llawer aelwyd yn... [yr] ardal er's llawer o flynyddau.'[27] Dyma sylw sy'n cadarnhau gwerth cyngherddau lles fel modd o gynorthwyo unigolion i ddygymod yn ystod cyfnod o waeledd.

Roedd tocynnau cyngherddau fel rheol yn cael eu gwerthu yn y chwarel ei hun gyda threfnwyr yn mynd o bonc i bonc yn gwerthu; byddai disgwyl i bawb ac eithrio'r bechgyn brynu tocyn neu gyfrannu gwerth tocyn. Er mwyn cael gwerthu tocynnau yn y chwarel roedd rhaid gofyn caniatâd y goruchwylwyr. Mae ceisiadau a anfonwyd at oruchwylwyr yn adnodd gwerthfawr gan eu bod yn cynnwys disgrifiad byr o hanes y claf:

> Edward Pritchard, Quarryman, Cwm-y-glo, Age 30, wife and 3 children. Worked in the Quarry for 16 years, Consumption, only worked about 10 months during the last two years.
>
> Robert R. Evans, Rockman, Rock Terrace, Llanberis. Age 40, Worked in Quarry 27 years. Hurt his arm about 6 years ago by falling. Wife no children.[28]

Mae hanesion unigolion fel Edward a Robert yn gyffredin iawn yng nghofnodion y chwarel; roedd y mwyafrif llethol o'r achosion a gofnodwyd gan oruchwylwyr yn cyfeirio at gyngherddau er budd chwarelwyr a fu'n dioddef yn sgil anaf neu afiechyd hirdymor. Mewn sawl achos nodwyd bod y chwarel yn bwriadu cyfrannu rhodd tuag at gyngherddau; fe dderbyniodd y ddau glaf isod £1 ym 1902, oddeutu £80 yn arian heddiw.

> Evan Jones, Angelsea, Age about 60, Worked in Quarry 30 years. Home ill, general debility for two years.
>
> John Griffiths, Ebenezer, Not worked in 3 years. General debility. Age 46, Worked in Quarry 2 years. Single. Good Character.[29]

Er mai er budd chwarelwyr gwael eu hiechyd y cynhaliwyd y mwyafrif o gyngherddau lles, gwnaethpwyd ceisiadau ar ran merched yn ogystal, yn enwedig felly, gwragedd gweddw. Yn sgil marwolaeth 'J. O. Rowlands Angelsea' ym mis Tachwedd 1902 gwaethpwyd cais ar ran 'the widow of J. O. Rowlands... Age 35, two children.'[30] Nodwyd bod Rowlands wedi bod yn wael ei iechyd ers 1899 a bod ei wraig bellach yn dibynnu'n llwyr ar gymorth y plwyf. Wrth ystyried ceisiadau, byddai goruchwylwyr yn barod iawn i wneud sylwadau ynghylch cymeriad moesol yr unigolyn. Ym 1903, beirniadwyd 'Jane Jones, 1 Tabernacle Street, Ebenezer' yn hallt iawn:

> Jane Jones, Widow, 5 children, 2 working in the Quarry. 1st Husband killed 12 years ago, 2nd Husband (W. Jones) died 1902. Bad character, treated 2nd husband very badly.[31]

Achos arall sy'n werth ei nodi yw'r cyngerdd a drefnwyd er budd John Richard Williams, Cwm-y-glo ym 1903:

> Wife died 2 years ago, bedridden for 2 years. 2 sons (21 and 14) both bedridden, loses time on account of illness in family.[32]

Mae ceisiadau gweddwon ac unigolion fel John yn awgrymu nad oedd cyngherddau bob amser yn cael eu cynnal er budd y claf, ond yn hytrach – gellid dadlau – er budd y gofalwr.

Mae hi'n bur amlwg bod mudiadau a threfniadau cydgymorth wedi egino yn Nyffryn Peris erbyn diwedd oes Fictoria. Yn hytrach na chynnig gofal neu gymorth meddygol prif ddiben cymdeithasau cyfeillgar ac elw cyngherddau lles oedd darparu arian yn lle'r cyflogau a gollwyd, gan gynnig llygedyn o sicrwydd yn ystod cyfnod o salwch.

Nodiadau

1. *Y Genedl Gymreig*, 24 Rhagfyr 1890, t. 8.
2. GAG XM/629–2 Rheolau Cymdeithas Caredigion Dinorwig (1896)
3. GAG XM/629–2
4. Yn fras, yn arian heddiw, mae pum swllt gyfystyr â £20, pedwar swllt gyfystyr â £16, tri swllt gyfystyr â £12, a dau swllt chwe cheiniog gyfystyr â £10.
5. *Y Genedl Gymreig*, 13 Awst 1890, t. 7.
6. GAG XM/629–2
7. GAG XM/629–2
8. *Y Tyst a'r Dydd*, 21 Mai 1875, t. 6.
9. Gweler; Dafydd Roberts, 'Y Deryn Nos a'i Deithiau: Diwylliant Derbyniol Chwarelwyr Gwynedd', *Cof Cenedl* III (Llandysul, 1988), tt. 151-179.
10. *Y Genedl Gymreig*, 28 Ionawr 1891, t. 3.
11. Alan Kidd, *State, Society and the Poor in Nineteenth-century England* (Llundain, 1999), t. 117.
12. *Y Genedl Gymreig*, 13 Awst 1890, t. 7.
13. Ibid.
14. Gwybodaeth wedi'i chasglu o gofnodion *Report of the Chief Registrar of Friendly Societies on Friendly Societies, with Summary of Annual Reports* ar gyfer blynyddoedd 1879, 1880, 1886 a 1891.
15. *Report of the Chief Registrar of Friendly Societies on Friendly Societies, with Summary of Annual Reports for 1891*, t. 250.
16. *Y Genedl Gymreig*, 13 Awst 1890, t. 3.
17. Ibid., 28 Ionawr 1891, t. 3.
18. GAG XM/629–2
19. *Y Genedl Gymreig*, 13 Awst 1890, t. 7.
20. Ibid.
21. Jones, *Canrif*, t. 61.
22. *Y Tyst Cymreig*, 29 Hydref 1869, t. 5.
23. *Y Genedl Gymreig*, 25 Medi 1894, t. 8.
24. *Y Rhedegydd*, 28 Hydref 1905, t. 3.
25. *Y Llan*, 1 Awst 1884, t. 2.
26. *Y Genedl Gymreig*, 22 Rhagfyr 1896, t. 7.

27. Ibid.
28. DQ/1567 Llyfr damweiniau a chofnodion o salwch ynghyd â manylion am gyngherddau er budd chwarelwyr.
29. DQ/1567
30. DQ/1567
31. DQ/1567
32. DQ/1567

Darpariaeth Iechyd y Wladwriaeth Fictoraidd

Y Gobaith Olaf: Deddf 'Newydd' y Tlodion a Chymorth y Plwyf

Pan fethai popeth arall byddai'n rhaid i unigolion droi at wasanaethau iechyd a lles 'y plwyf'. Trwy gydol y cyfnod Fictoraidd gweinyddwyd prif wasanaethau iechyd a lles y wladwriaeth trwy delerau Deddf 'Newydd' y Tlodion. Ym 1834, pasiwyd *An Act for the Amendment and better Administration of the Laws relating to the Poor in England and Wales*. Cuddiwyd gwir natur chwyldroadol y ddeddf tu ôl i'r gair syml 'amendment'.

Dan fesur 1834, unwyd nifer o blwyfi ynghyd ledled Cymru a Lloegr i ffurfio Undebau'r Tlodion. Ar draws Cymru, ffurfiwyd 48 Undeb newydd ac ymhob Undeb roedd perchnogion eiddo â'r hawl i ethol unigolion ar Fwrdd y Gwarcheidwaid a'r rheiny a fyddai'n gyfrifol am weinyddu cymorth i'r tlawd. Rhannwyd Undebau yn ddosbarthiadau, gyda phob dosbarth yn penodi swyddogion meddygol a swyddogion brechiad a fyddai'n gallu ymdopi â phoblogaeth ac ardal o faint rhesymol a'u cyfrifoldeb nhw oedd gofalu am dlodion sâl.

Yn swyddogol – dan Ddeddf 'Newydd' y Tlodion – roedd cymorth y plwyf yn gyfyngedig i unigolion anghenus yn unig. Prif amcan mesur 1834 oedd atal cymorth yn y cartref – yn arbennig i dlodion 'diog', y rheiny a ystyrid yn ddigon 'abl' i weithio ond a oedd yn dewis cymryd mantais o haelioni eu plwyf yn hytrach nag ennill bywoliaeth onest. Trwy gymysgedd o ofn a chywilydd roedd y llywodraeth yn gobeithio gorfodi'r tlawd i ddilyn bywydau gweithgar, moesol a pharchus. Credai'r llywodraeth mai dim ond trwy sicrhau bod sefyllfa'r tlotyn yn llai dymunol na sefyllfa'r gweithiwr annibynnol yr oedd modd atal unigolion rhag mynnu cymorth plwyf. I dderbyn cymorth byddai'n rhaid mentro trwy byrth y tloty ar delerau bwriadol greulon.

Cyfrifoldeb yr Undebau oedd adeiladu tlotai a hynny ar draul trethi'r tlodion. Araf ac anfoddgar fu'r ymateb yn Sir Gaernarfon i ddweud y lleiaf. Ffurfiwyd Undeb Tlodion Caernarfon ar 1 Mehefin 1837 trwy uno un ar bymtheg o blwyfi ynghyd; yn perthyn i'r Undeb newydd yr oedd Dosbarthiadau Llanberis, Llanddeiniolen a Llanrug. Bu sefydlu tloty yn fater a achosodd gryn ddadlau ymysg Gwarcheidwaid Caernarfon, gyda rhai yn credu'n daer y byddai'r gost o ofalu am dlodion mewn tloty yn llawer uwch na'r gost o ddarparu cymorth gartref. Yn y diwedd bu'n rhaid i Arolygwyr y Tlodion ofyn i Fainc y Frenhines orchymyn i Undeb Caernarfon godi tloty; agorwyd Tloty Caernarfon ym 1846 – ddeuddeg mlynedd wedi pasio mesur 1834.

Pe bai llafurwr cyffredin yn colli ei waith trwy ryw anffawd neu'i gilydd ac yn gorfod mynd i'r tloty, byddai gorfodaeth ar y rheiny a ddibynnai arno (hynny yw, ei wraig neu unrhyw blant) i'w ddilyn. Wrth gyrraedd y tloty, gwahenid gwŷr, gwragedd a phlant i wardiau gwahanol. Caniatawyd i blant ifanc iawn aros gyda'u mamau, tra oedd plant dros saith mlwydd oed yn cael eu gwahanu oddi wrth eu rhieni a'u gosod yn ysgol y tloty. Roedd yn rhaid i bob tlotyn abl ennill ei le; byddai gwŷr yn torri cerrig a choed, yn pwmpio dŵr neu blicio ocwm (math o ffibr a geir wrth ddatblethu hen raffau), tra oedd merched yn gweithio yn y golchdy, yn glanhau neu'n paratoi bwyd. Yn ôl adroddiadau Arolygwyr y Tlodion roedd amodau byw yn Nhloty Caernarfon ar ddechrau'r 1880au yn eithriadol wael. Mae sôn am ddynion yn byw yn yr un dillad am dair os nad pedair i bum wythnos nes bod eu dillad isaf wedi eu gwisgo'n garpiau yn sgil yr holl faw a phryfed.[1]

Cymorth Allanol yn Nyffryn Peris

Er gwaethaf gobeithion clir mesur 1834, prin y gwireddwyd yr amcan o atal cymorth allanol. Ym 1896 mynnodd F. T. Bircham, Comisiynydd rhanbarth Cymru ar ran y Bwrdd Llywodraeth Lleol fod Cymru yn rhanbarth 'where out-door relief has always been the rule and not the exception.'[2] Yn ôl Bircham,

> it is very rarely the case that any applicant for relief, who has the slightest claim to consideration on the score of respectable antecedents, is to be found in the workhouse at all; such cases always get out-relief except of course where serious sickness or helplessness renders treatment in the workhouse infirmary a necessity.[3]

Mae adroddiadau blynyddol Arolygwyr y Tlodion yn dangos y gwahaniaeth syfrdanol a fodolai rhwng y niferoedd o dlodion a hawliai gymorth gartref a'r niferoedd a dderbyniwyd i'r tloty. Yn Sir Gaernarfon ym 1844, cynorthwywyd 56 tlotyn yn y tlotai o'i gymharu â'r 2,179 o dlodion a hawliodd gymorth gartref, gyda 641 ohonynt yn hawlio cymorth yn benodol 'on account of sickness or accident.'[4] Mae'r patrwm uchod yn parhau yn ddigyfnewid trwy gydol y ganrif; erbyn 1894, cynorthwywyd 254 o dlodion plwyfi Arfon yn y tloty o'i gymharu â'r 2,521 o dlodion a hawliodd gymorth gartref.[5] Gweler isod niferoedd y tlodion yn nosbarthiadau dalgylch Chwarel Dinorwig yn ystod chwe mis cyntaf 1894.

Plwyf	Poblogaeth (Cyfrifiad 1891)	Tlodion Allanol	Tlodion Mewnol	Cyfanswm y Tlodion Mewnol ac Allanol	% o'r boblogaeth
Llanberis	2,818	137	2	139	4.9
Llanddeiniolen	6,164	345	19	364	5.9
Llanrug	2,758	189	10	199	7.2

Erbyn troad y ganrif, roedd ar gyfartaledd oddeutu 5 y cant o boblogaeth Cymru a Lloegr yn derbyn cymorth y tlodion; yng ngoleuni'r sylw hwn mae'n ymddangos bod niferoedd y tlodion yn Nyffryn Peris yn gyson â'r cyfartaledd gwladol, er bod niferoedd dosbarth Llanrug fymryn yn uwch.[6]

Mae'n ymddangos mai dim ond yn ystod cyfnod o salwch enbyd y byddai'n rhaid i dlotyn fynd i'r tloty; byddai fel rheol yn cael ei adfer gartref gan dderbyn 'gofal' yn rhannol ar ffurf taliadau ariannol. Gwnaethpwyd defnydd hefyd o foddion amrywiol, megis gwinoedd neu ddiodydd alcoholig, y defnydd o elenod, olew iau penfras, cwinîn, eliau a meddyginiaethau eraill.[7]

Roedd modd i dlodion dderbyn cymorth meddygol mewn fferyllfeydd lleol hefyd. Roedd fferyllfa y tlodion fel rhyw fath o glinig lle byddai nifer o feddygon yn gwasanaethu ar adegau penodol ar gyfer trin cleifion a dosbarthu meddyginiaethau. Yn Nyffryn Peris ceid fferyllfeydd ym mhentrefi Ebenezer a Llanrug, gyda'r ddwy dan ofal Dr William Lloyd Owen Williams, Bryngwyddfan, Llanberis.[8] Byddai doctoriaid yn cytuno i drin tlodion yn ddibynnol ar y swm a roddwyd iddynt gan y Gwarcheidwaid lleol; yn achos Dr Williams, derbyniai £20 (oddeutu £1,500 heddiw) y flwyddyn gan Fwrdd Gwarcheidwaid Caernarfon i drin cleifion tlawd y dyffryn.[9] Roedd Dr Williams hefyd yn gyfrifol am sicrhau bod holl blant plwyfi Llanberis, Llanrug a Llanddeiniolen yn cael eu brechu – cyn belled â bod eu rhieni wedi gwneud cais am frechiad. Yn ôl manylion ei gytundeb, derbyniodd Dr Williams

> a payment in respect of each case of successful vaccination... performed at the home of the person vaccinated... a sum of five shillings (£20) if the home is situated in the parish of Llanberis; the sum of seven shillings sixpence (£30) if such home is situated in the parish of Llanrug, and the sum of ten shillings (£40) if such a home is situated in the upper part of the parish of Llanddeiniolen.[10]

Cymorth Allanol a Chymdeithasau Cyfeillgar

> Y mae yn arwydd o wareiddiad uchel mewn gwlad pan fydd ei thrigolion yn ngwanwyn bywyd yn edrych yn mlaen ac yn paratoi ar gyfer hydref a gauaf henaint... yn cymeryd mantais ar y cyfleusderau hyn i wneud a allant pan yn anterth eu nerth ac mewn iechyd, i drefnu moddion cynaliaeth pan ddaw gwyntoedd oerion afiechyd a methiant i chwythu arnynt.[11]

Dan Ddeddf 'Newydd' y Tlodion crëwyd amodau a oedd yn fwriadol llym yn y gobaith o annog y dosbarth gweithiol i fod yn annibynnol a hunangynhaliol, yn bennaf trwy aelodaeth o fudiadau megis cymdeithasau cyfeillgar.[12] Rhaid gofyn ai cyd-ddigwyddiad yw'r ffaith mai yng nghanol yr 1830au y sefydlwyd rhai o brif gymdeithasau Dyffryn Peris – Caredigion Dinorwig a Chymdeithas Glannau Gwyrfai? Roedd cymdeithasau cyfeillgar yn gallu cynorthwyo'r tlodion 'haeddiannol' trwy eu hannog i baratoi ar gyfer eu hunain, tra oedd Deddf lem y Tlodion yn ymdrin â'r tlodion 'anhaeddiannol' yn y fath fodd a fyddai'n eu gorfodi i fyw bywydau gwell.

Mae tystiolaeth yn awgrymu nad oedd mudiadau gwirfoddol megis cymdeithasau cyfeillgar a darparwyr iechyd y plwyf yn llwyddo i gydweithio bob amser, gyda chymdeithasau yn grediniol nad oedd eu haelodau yn cael eu trin yn deg yn ystod cyfnod o salwch neu ddiweithdra. Pe bai aelod o gymdeithas gyfeillgar yn ymgeisio am gymorth plwyf, roedd hi'n ofynnol dan amodau Deddf 'Newydd' y Tlodion i Warcheidwaid ystyried

> all the means of support possessed by the applicant; they should take such allowance... from a club or society... into account in determining what amount of relief is required to relieve the destitution of the applicant.[13]

Er bod yr awdurdodau yn benderfynol o annog unigolion i gynilo a pharatoi 'ar gyfer hydref a gauaf henaint', gallai'r ffaith bod aelodau wedi ymdrechu i ddarparu ar gyfer eu hunain effeithio ar eu ceisiadau am gymorth; pe bai'r Gwarcheidwaid yn penderfynu bod yr incwm a ddaeth yn sgil eu haelodaeth yn ddigonol byddai'r aelod yn agored i'r peryg o dderbyn llai o gymorth gan ei blwyf, er gwaetha'r ffaith ei fod wedi talu treth y tlodion.[14] Dyma ffactor a gododd nyth cacwn yn Nyffryn Peris erbyn degawd olaf y bedwaredd ganrif ar bymtheg.

Ar 17 Ionawr 1891 cynhaliwyd cyfarfod yng Nghapel y Methodistiaid yng Nghwm-y-glo rhwng sawl cymdeithas gyfeillgar wahanol; yn bresennol roedd Cymdeithas Caredigion Nant Padarn, Cymdeithas Gyfeillgar Cwm-y-glo, Cymdeithas Dinorwig a'r amgylchoedd, Cymdeithas Glannau Rhyddallt a Chymdeithas Caredigion Dinorwig.[15] Yno, penderfynwyd y dylid anfon llythyr at Warcheidwaid Caernarfon i'w hysbysu o sefyllfa eu haelodau mewn perthynas â chymorth y tlodion. Yn y llythyr datgelwyd bod 'an-nhueddrwydd... yn bodoli yn mysg gweithwyr... i ddyfod yn aelodau o Gymdeithasau Cleifion'.[16] Honnwyd bod

> yr an-nhueddrwydd hwn yn benaf yn ganlyniad ac effaith gweithrediadau gwarcheidwaid y tlodion tuagat aelodau y cyfryw gymdeithasau pan ddygwyddo... fod o dan yr angenrheidrwydd mewn achosion eithriadol o afiechyd a thlodi ddyfod i geisio elusen blwyfol... deuant i deimlo fod eu haelodaeth mewn Cymdeithas Gleifion yn anfantais iddynt lwyddo yn eu cais, ac ymddygir gyda mwy o dynerwch a haelfrydedd at bersonau na fyddont yn aelodau o Gymdeithas Glaf o gwbl.[17]

Roedd y cymdeithasau yn grediniol nad oedd gweithwyr Dyffryn Peris yn awyddus i ymuno â chymdeithasau cyfeillgar oherwydd bod peryg i'w haelodaeth amharu ar eu hawl i fynnu cymorth plwyf teilwng. Mae'r ffaith nad oedd gweithwyr yn awyddus i beryglu eu hawl i dderbyn cymorth y tlodion yn bwynt diddorol dros ben. Gellir dadlau ei fod yn awgrymu nad oedd Undeb Caernarfon –

yn unol ag amcanion deddf 1834 – yn llwyddo i weithredu mewn modd a oedd yn ddigon llawdrwm i atal unigolion rhag ceisio am gymorth. I'r gwrthwyneb; roedd yn ôl pob tebyg yn *atal* unigolion rhag ymuno â chymdeithas gyfeillgar!

Y tu ôl i 'an-nhueddrwydd' y gweithwyr yr oedd y gred nad oedd systemau yn cael eu gweinyddu yn deg. Caiff y rhwystredigaeth a deimlwyd ymysg aelodau a phwyllgorau cymdeithasau cyfeillgar ei amlygu wrth iddynt fynnu eu bod yn 'haeddianol o barch am eu hymdrech i fod yn hunan gynhaliol' ac am sicrhau 'arbediad dirfawr i drethi [eu] gwlad'.[18] Mae'r drwgdeimlad a oedd yn bodoli yn Nyffryn Peris yn adlewyrchiad o'r cymhlethdodau a oedd yn gysylltiedig â'r dadleuon ynghylch cyfrifoldeb yr unigolyn dros ei les ei hun a chyfrifoldeb y wladwriaeth, dadleuon a oedd yn tra-arglwyddiaethu yng ngwleidyddiaeth ac economi oes Fictoria.[19] Yn yr achos hwn, roedd unigolion a oedd yn cydymffurfio ag egwyddorion *laissez-faire* y llywodraeth trwy ysgwyddo cyfrifoldeb a pharatoi tuag at 'ddyddiau blin' salwch yn cael eu cosbi, tra oedd anghenion unigolion nad oeddent yn darparu ar gyfer eu hunain yn cael eu diwallu.[20] O safbwynt y Gwarcheidwaid roedd cyfrifoldeb arnynt hwythau yn unol ag egwyddorion Deddf 'Newydd' y Tlodion i ystyried holl asedau ymgeiswyr cymorth; pe baent yn anwybyddu unrhyw fuddiannau roeddent mewn gwirionedd yn tanseilio gweledigaeth y ddeddf yn llwyr.[21]

Ni wyddom sut ymateb a gafwyd i lythyr y cymdeithasau, ond nid o du'r chwarelwyr yn unig y gwelwyd cwynion ynglŷn â'r berthynas rhwng cymorth y tlodion a chlaf-daliadau cymdeithasau cyfeillgar. Cafwyd datrysiad i'r cwynion ym 1894 wrth i'r llywodraeth basio Deddf Cymorth Allanol Cymdeithasau Cyfeillgar, deddf '[which] legally empowered... boards of guardians, if they thought fit, to ignore the fact than an applicant for relief had a friendly society allowance'.[22]

Fel y gwelsom, roedd y mwyafrif llethol o dlodion Dyffryn Peris yn derbyn cymorth allanol, gan olygu nad oedd rhaid iddynt dywyllu unrhyw dloty. Os felly, beth oedd hanes rhai o'r unigolion eithriadol hynny a dderbyniodd gymorth yn Nhloty Caernarfon?

Nodiadau

1. Cledwyn Flynn-Hughes, 'The Workhouses of Caernarvonshire', *Trafodion Hanes Sir Gaernarfon*, 7 (1946), t. 98.
2. *Twenty-fifth Annual Report of the Local Government Board* (1896), t. 221.
3. Ibid., t. 222.
4. *Eleventh Annual Report of the Poor Law Commissioners* (1845), t. 166.
5. Manylion Clerc Undeb Caernarfon, Mr. J. H. Thomas, *Y Genedl Gymreig*, 26 Mehefin 1894, t. 7.
6. Kidd, *State*, t. 11.
7. Steven Thompson, 'The mixed economy of care in the South Wales coalfield, c.1850–1950', yn Donnacha Seán Lucey a Virginia Crossman (goln), *Healthcare in Ireland and Britain from 1850: Voluntary, Regional and Comparative Perspectives* (Llundain, 2014), t. 143.
8. GAG XG/2/5 Cofnodion Printiedig Undeb Tlodion Caernarfon (1907–10)
9. GAG XG/2/5
10. GAG XG/2/119 Cytundeb Brechu rhwng Bwrdd Gwarcheidwaid Caernarfon a Dr William Lloyd Owen Williams, Bryngwyddfan, Llanberis (1908)
11. *Tarian y Gweithwyr*, 2 Ionawr 1896, t. 5.
12. M. W. Flinn, 'Medical Services under the New Poor Law', yn Derek Fraser (gol.), *The New Poor Law in the Nineteenth Century* (Llundain, 1976), t. 57.
13. Beatrice a Sidney Webb, *English Poor Law Policy* (Llundain, 1910), t. 254.
14. Ibid.
15. *Y Genedl Gymreig*, 28 Ionawr 1891, t. 3.

16. Ibid.
17. Ibid.
18. Ibid.
19. Ruth Hodgkinson, *The Origins of the National Health Service: The Medical Services Under the New Poor Law 1834–1871* (Llundain, 1967), t. 2.
20. *Y Genedl Gymreig*, 28 Ionawr 1891, t. 3.
21. John Benson, 'Poor Law Guardians, Coalminers, and Friendly Societies in Northern England, 1860–1894: Statutory Provision, Local Autonomy, and Individual Responsibility', *Northern History*, 44, 2 (Medi 2007), t. 160.
22. Webb, *English*, t. 253.

Tlodion Dyffryn Peris yn Nhloty Caernarfon

Yn anffodus, nid oes unrhyw gofnodion cyn y flwyddyn 1896 wedi goroesi; mae'r wybodaeth isod yn seiliedig ar gofnodion Llyfrau Derbyn a Rhyddhau 1896 i 1901.

Wrth gyrraedd y tloty, dosbarthwyd yr holl dlodion yn ôl eu hoedran, eu gallu a'u hiechyd:[1]

Dosbarth	Disgrifiad
1	Dynion mewn oed/llesg.
2	Dynion abl dros dair ar ddeg mlwydd oed.
3	Bechgyn rhwng saith a thair ar ddeg mlwydd oed.
4	Menywod mewn oed/llesg.
5	Menywod abl dros un ar bymtheg mlwydd oed.
6	Merched rhwng saith ac un ar bymtheg mlwydd oed.
7	Plant o dan saith mlwydd oed.

Mae'r ffaith nad oedd tlotai yn gwahaniaethu rhwng oedran a chyflwr iechyd yn gwneud pethau ychydig yn fwy cymhleth. Yn ystod y bedwaredd ganrif ar bymtheg nid oedd yr ansoddair 'old' o reidrwydd yn cyfeirio at oedran yr unigolyn; yn hytrach, gall fod yn asesiad o'i allu corfforol neu feddyliol.[2]

Mae hyn yn wir yn achos William R. Williams, Llanberis a gyrhaeddodd Dloty Caernarfon ym mis Mehefin 1898. Rhestrwyd William fel dyn a oedd mewn oed ac yn llesg; serch hynny, nodwyd blwyddyn ei eni fel 1875 – byddai hyn yn ei wneud yn dair ar hugain mlwydd oed.[3] Derbyniwyd William i'r tloty yn benodol o achos salwch, nid henaint, ac mae'n ymddangos mai salwch meddyliol oedd hwnnw; dridiau yn unig wedi cyrraedd Tloty Caernarfon anfonwyd William i Wallgofdy Dinbych.[4] Derbyniwyd Richard Jones, 'Chemist' 35 mlwydd oed o Landdeiniolen, i'r tloty ym mis Mai 1897. Dosbarthwyd Richard i ddosbarth rhif 2, dyn abl dros dair ar ddeg mlwydd oed. Yn ystod ei gyfnod yn Nhloty Caernarfon mae'n ymddangos bod stad feddyliol Richard wedi dirywio ac ym mis Rhagfyr 1897 anfonwyd yntau i Wallgofdy Dinbych hefyd. Er bod dosbarthiadau'r tloty o gymorth wrth geisio dadansoddi iechyd cyffredinol y tlodion, mae peryg i wir gyflwr rhai unigolion fynd ar goll y tu ôl i ddisgrifiadau amhendant Meistr y Tloty.

Yn ystod yr 1870au aethpwyd ati'n fwriadol i leihau cyfrifoldeb y plwyf dros dlodion oedrannus. Dan gyfraith gwlad gorfodwyd teuluoedd i gamu i'r adwy ac ysgwyddo peth cyfrifoldeb dros berthnasau methedig. Ym 1875, gorchmynnwyd i ddau chwarelwr yn ardal Bangor dalu dau swllt a chwe cheiniog yr wythnos – oddeutu £8 yn arian heddiw – 'tuag at gynnal eu mam, oedrannus, weddw a thlawd'. Mynnodd yr awdurdodau fod 'angen dwyn meibion sydd yn ennill cyflogau uchel o flaen yr ynadon i'w **gorfodi** i gynnal eu rhieni'.[5]

Ar y cyfan, ychydig iawn o dlodion mewn oed a dderbyniwyd i Dloty Caernarfon, ffaith sy'n awgrymu bod gofal gan berthnasau wedi chwarae rhan bwysig yn Nyffryn Peris. O'r rheiny a dderbyniwyd i'r tloty roedd nifer ohonynt wedi cyrraedd oedran teg. Derbyniwyd yr hynaf – Owen Jones o Landdeiniolen – i'r tloty ym mis Mawrth 1898. Honnwyd bod Owen wedi cael ei eni ym 1809; byddai hyn yn ei wneud yn 89 mlwydd oed![6] Ym mis Mawrth 1897 treuliodd Evan Roberts, chwarelwr 86 mlwydd oed o Landdeiniolen, ychydig ddyddiau yn Nhloty Caernarfon.[7] Derbyniwyd Moses Williams, Llanberis ym mis Hydref 1898; roedd yntau hefyd yn 86 mlwydd oed.[8] Dan amodau Deddf y Tlodion roedd disgwyl i wraig ymuno â'i gŵr yn y tloty. Gan nad oes unrhyw wragedd yn cael eu derbyn gydag Owen, Evan a Moses, teg fyddai dyfalu eu bod oll yn ddynion gweddw neu ddibriod.

Yn wahanol i garchardai, roedd gan dlodion yr hawl i ryddhau eu hunain o'r tloty cyn belled â'u bod wedi rhoi rhybudd o dair awr i'r staff. Wrth gwrs, pe baent yn dewis gadael nid oedd unrhyw gyfrifoldeb ar yr Undeb i'w cynnal mwyach. Mae cofnodion yn dangos bod rhai unigolion yn mynd a dod o'r tloty'n rheolaidd. Enw cyffredin yng nghofnodion Caernarfon yw John Roberts, Llanberis. Mae enw John yn ymddangos droeon yng nghofnodlyfrau'r tloty; byddai fel rheol yn aros yno am ychydig nosweithiau ar y tro, er, ym mis Ebrill 1897 treuliodd dros fis yn Nhloty Caernarfon. Tros gyfnod o ddwy flynedd bu'n ymwelydd cyson; bu farw yno ym mis Rhagfyr 1899.[9]

Dan delerau Deddf y Tlodion, ychydig iawn o ystyriaeth a roddwyd i ferched a'u hanghenion. Prif amcan Deddf 'Newydd' y Tlodion oedd atal *dynion* abl rhag hawlio cymorth plwyf. Roedd y llywodraeth yn grediniol mai dynion di-waith – a hynny o wirfodd – oedd wrth wraidd problemau tlodi'r cyfnod. Trwy fynd i'r afael â diweithdra ymlith dynion byddai modd adfer sefyllfaoedd o dlodi ymysg merched a phlant. Nid oedd mesur 1834 yn ystyried merched fel unigolion yn eu rhinwedd eu hunain: roedd merched, yn ddi-ffael, yn dibynnu ar ddynion. Yng ngeiriau'r diwygwyr cymdeithasol Sydney a Beatrice Webb,

> the Report of 1834 was entirely directed to the treatment of the adult able-bodied labourer with the family dependent upon him... With regard to the treatment of women, it cannot be said that the Report of 1834 afforded much guidance... in this Report, the single independent woman is nowhere mentioned. The wife is throughout treated exactly as is the child; it is assumed that she follows her husband... the widow, the deserted wife, the wife of the absentee soldier or sailor, the wife of a husband resident in another parish or another country – the Report is silent.[10]

Derbyniwyd nifer o wragedd priod i'r tloty. Treuliodd Elizabeth Jones, gwraig chwarelwr o Landdeiniolen, bythefnos yn Nhloty Caernarfon yn ystod mis Mehefin 1898. Gyda hi roedd ei merched, Eliza a oedd yn ddeuddeg a Margaret a oedd yn dair mlwydd oed. Ym mis Ionawr 1897, treuliodd Jane Pettit, gwraig briciwr o Landdeiniolen, a'i phlant John ac Alice ddeuddydd yn y tloty. Does dim sôn am eu gwŷr.

Fel rheol, ni chaniatawyd cymorth allanol i ferched â phlant anghyfreithlon. Os nad oedd mamau yn gallu cynnal eu plant roedd yn rhaid iddynt fynd i'r tloty. Derbyniwyd Jane O'Flynn o Landdeiniolen i'r tloty ym mis Mehefin 1897. Roedd gan Jane bedwar o blant: Peter O'Flynn a oedd yn saith mlwydd oed, efeilliaid blwydd oed o'r enw David a Letisa Williams a merch fach ychydig fisoedd oed o'r enw Margaret. Ym mis Medi y flwyddyn honno, mae David a Letisa Williams yn gadael; nodwyd bod eu tad wedi dod i'w nôl – mae'n amlwg nad oedd y gŵr anhysbys yn fodlon ysgwyddo cyfrifoldeb dros Jane a gweddill ei phlant.

Un garfan o ferched a oedd mewn sefyllfa hynod fregus oedd merched sengl beichiog. Yn wahanol i'r henoed a'r methedig, dan delerau Deddf y Tlodion ystyriwyd merched beichiog fel unigolion 'abl'; golygai hyn fod rhaid iddynt weithio fel pawb arall a chyflawni nifer o ddyletswyddau llafurus ac ailadroddus. Er rhestru Maggie Jones, 21 mlwydd oed o Lanberis, a Margaret Owen, 20 mlwydd oed o Lanrug, fel merched abl, pan dderbyniwyd y ddwy i'r tloty roeddent yn ferched beichiog iawn. Wedi mis yn Nhloty Caernarfon roedd Maggie – a oedd eisoes yn fam i fachgen tair blwydd oed o'r enw Thomas – wedi geni plentyn, bachgen arall o'r enw William.[11] Yn anffodus, bu farw William yn dri mis oed a gadawodd Maggie a Thomas ddeuddydd wedi marwolaeth y bychan.[12] Efeilliaid, o'r enw Mary a Grace, a gafodd Margaret Owen; gadawodd y tair ohonynt ym mis Mehefin 1898. Derbyniwyd Miriam Roberts, 21 mlwydd oed o Landdeiniolen, i'r tloty ym mis Ebrill 1897, ac ar 22 Gorffennaf ganwyd ei merch, Miriam; gadawodd y ddwy ymhen y mis.[13] Roedd merched yn aml yn defnyddio tlotai fel ysbytai mamolaeth ac mae'n bur amlwg bod rhai o ferched ifanc Dyffryn Peris, mewn sefyllfaoedd argyfyngus, wedi cael eu derbyn i Dloty Caernarfon er mwyn geni eu plant.

Ysbyty Tloty Caernarfon

Ychydig iawn a wyddom am y gofal a ddarparwyd yn Ysbyty Tloty Caernarfon, neu 'Bodfan' fel yr adwaenid yr adeilad yn lleol. Adnodd hynod brin a gwerthfawr yw'r adroddiad a gynhyrchwyd ym 1908 yn ôl dymuniad Bwrdd Gwarcheidwaid Caernarfon gan Dr Tom Roberts, Meddyg y Tloty.[14] Ym marn Dr Roberts roedd y gofal a ddarparwyd ar gyfer tlodion sâl Undeb Caernarfon yn annigonol a chawn ddisgrifiadau manwl ganddo o brif ddiffygion yr ysbyty. Mae cynnwys ei adroddiad yn adlewyrchu'r rhwystredigaeth a deimlai fel meddyg wrth iddo geisio gofalu am gleifion dan amodau ac mewn amgylchedd anaddas.

Un o brif gwynion Dr Roberts oedd y prinder gwlâu a oedd yn arwain at orboblogi cyson yn yr ysbyty. Nododd fod deugain o wlâu cleifion ym Modfan, sefydliad a oedd yn gwasanaethu Undeb â phoblogaeth o dros 40,700.[15] 'Ar rai achlysuron,' meddai Dr Roberts, 'nid oes digon o le a'r canlyniad yw i'r Ysbytty orlenwi yn ddifrifol.'[16] Eglurodd fod y mwyafrif o'r cleifion ym Modfan oherwydd 'ei bod yr un mor ammhosibl i ddarparu yn briodol ar eu cyfer yn eu cartrefi,' sylw sydd yn awgrymu bod Ysbyty'r Tloty yr un mor anaddas â thai'r cleifion![17]

Awgrymodd Dr Roberts y byddai'n briodol 'i ddosparthu a gwahanu clefion.'[18] Roedd y ffaith bod 'masgleifion (epileptic), rhai gwan eu meddwl, yr hen a'r methiedig yn gorfod cymysgu heb wahaniaeth... a'r achosion mwyaf poenus' yn gwbl anaddas.[19] Erfyniodd ar y Gwarcheidwaid i baratoi trefniadau a fyddai'n ei alluogi i gadw 'dioddefydd anffortunus oddiwrth gleifion y darfodigaeth neu afiechyd cyffelyb' gan atal yr heintiau rhag lledaenu 'yn y ward a'r ystafell gynull.'[20]

Datgelodd Dr Roberts mai dim ond dwy nyrs oedd yn gweithio yn yr ysbyty, 'hynny yw,' meddai, 'un fammaeth ar gyfer pob ugain o gleifion.'[21] Eglurodd fod y 'ddwy fammaeth' yn gweithio rhwng '7 o'r gloch y boreu hyd 8.30 yr hwyr, ac yn cael myned ymaith dri hanner diwrnod bob wythnos.'[22] Ofnai nad oedd y Gwarcheidwaid yn ymwybodol o'r ffaith nad oedd unrhyw 'drefniant o gwbl i weinyddu ar y dioddefwyr yn y nos, ac ni ymwelir a'r deugain o gleifion gan unrhyw swyddog cyfrifol rhwng 8.30 y nos a 7 y boreu.'[23] Mewn datganiad heriol, mae'r angerdd a deimlai Dr Roberts tuag at ei gleifion yn bur amlwg. Gofynnodd,

> Pe yn anffortunus, y digwyddai i un o'ch teulu chwi fod yn dioddef oddiwrth y parlys ac yn fethiantus... a fuesech chwi yn eu gadael yn wlyb a budr heb neb i weinyddu arnynt neu i ofalu amdanynt rhwng 8.30 y nos a 7 y boreu? Os na fuasech gyda'r eiddo eich hun, paham y gwnewch gyda'r tlawd methiedig ac analluog?[24]

Yr hyn a wnâi Dr Roberts oedd gosod y sefyllfa mewn cyd-destun a fyddai'n ennyn cydymdeimlad y Gwarcheidwaid; trwy grybwyll eu perthnasau llwyddai i'w hatgoffa mai pobl o gig a gwaed oedd cleifion truenus y tloty. Awgrymodd y meddyg fod angen penodi '"Trained Nurse", un wedi derbyn tair blynedd o hyfforddiant mewn Ysbytty sydd yn cael ei gydnabod fel ysgol i hyfforddi mammaethod'.[25] Mae cofnodion cyfarfodydd Bwrdd y Gwarcheidwaid yn awgrymu eu bod wedi derbyn ei argymhelliad; ymhen y mis gosodwyd hysbysebion yn y papurau lleol a oedd yn datgan yr angen (ar unwaith) am 'working Superintendant Nurse... for the Workhouse Infirmary... who must hold a three years' Certificate'.[26] Serch hynny, ni chofnodwyd unrhyw benodiad newydd, gyda'r Gwarcheidwaid yn penderfynu y dylai'r 'holl benderfyniadau a basiwyd ynglyn a phenodiad Trained Nurse... gael ei ddiddymu' ym mis Mai 1908, gwta dri mis yn unig wedi cyhoeddi adroddiad Dr Roberts.[27]

Mae haneswyr wedi awgrymu bod safonau ysbytai'r tlotai wedi gwella o ganol y bedwaredd ganrif ar bymtheg ymlaen wrth i Undebau adeiladu ysbytai mewn adeiladau ar wahân i'r tlotai. O dystiolaeth Dr Roberts mae'n amlwg bod unrhyw ddatblygiad wedi bod yn araf yn Undeb Caernarfon wrth i'r amodau yn Ysbyty Bodfan barhau'n gyntefig ymhell i mewn i'r cyfnod Edwardaidd.

Nodiadau

1. Kidd, *State*, tt. 34–5.
2. Ibid., t. 40.
3. GAG XG/2/146 Llyfrau Derbyn a Rhyddhau Tloty Caernarfon (1896-1901)
4. Erbyn terfyn oes Fictoria roedd Gwallgofdy Dinbych bellach yn derbyn y mwyafrif llethol o unigolion a oedd yn dioddef â chyflyrau iechyd meddwl ar draws chwe sir y gogledd.
5. *Baner ac Amserau Cymru*, 16 Mehefin 1875, t. 9.
6. GAG XG/2/146
7. GAG XG/2/146
8. GAG XG/2/146
9. GAG XG/2/146
10. Webb, *English*, tt. 6–7.
11. GAG XG/2/146
12. GAG XG/2/146
13. GAG XG/2/146
14. GAG XG/2/5 Cofnodion Printiedig Undeb Tlodion Caernarfon (1907–10)
15. GAG XG/2/5
16. GAG XG/2/5
17. GAG XG/2/5
18. GAG XG/2/5
19. GAG XG/2/5
20. GAG XG/2/5
21. GAG XG/2/5
22. GAG XG/2/5
23. GAG XG/2/5
24. GAG XG/2/5
25. GAG XG/2/5
26. *Yr Herald Cymraeg*, 11 Chwefror 1908, t. 1.
27. GAG XG/2/5

Diweddglo

> Y mae y lle yn iach, ac ni bydd yma heintiau, os na ddygir hwy yma o leoedd eraill. Y mae gwyntoedd drwy y Bwlch yn puro yr awyrgylch oddi wrth bob amhuredd heintus.[1]

Ym 1908, mynnodd y Parchedig G. Tecwyn Parry fod Llanberis yn ardal iach. Mae trwch y gyfrol hon yn profi nad oedd sylw'r hen weinidog yn hollol gywir; ond yn hytrach na chanolbwyntio ar safonau iechyd yn unig, yr hyn a ddenodd fy sylw yn bennaf oedd y ddarpariaeth amrywiol a fodolai yn yr ardal mewn ymgais i amddiffyn trigolion yn wyneb clefydau'r cyfnod a pheryglon diwydiant.

Does dim amheuaeth mai pentrefi diwydiannol a ffurfiwyd yng nghysgod y chwareli; cymunedau ydynt, yng ngeiriau R. Merfyn Jones, 'that bore indelibly the stamp of industry'.[2] Golyga hyn fod modd canfod tir cyffredin rhwng profiad cymunedau chwarelyddol a chymunedau diwydiannol eraill, er bod rhaid cydnabod bod nifer o ffactorau amlwg yn achosi amrywiadau ym mhrofiadau cymunedau cymoedd y de a phentrefi llechi gwasgaredig y gogledd-orllewin. Serch hynny, ni ellir gwadu nad oedd nifer o broblemau a gysylltir â diwydiannu yn bresennol ac – i raddau – yr un mor annioddefol yn Nyffryn Peris hefyd.

Cynigiwyd noddfa i drigolion yr ardal ar ffurf Ysbyty Chwarel Dinorwig, sefydliad a ddarparodd wasanaeth meddygol o'r radd flaenaf i gannoedd o chwarelwyr dros gyfnod o bedwar ugain a phump o flynyddoedd. Yn ystod yr anghydfodau diwydiannol a ysgydwodd y gweithle, arhosodd un peth yn gyson: pendantrwydd y gweithwyr i gynnal a gwarchod eu hawl i ddefnyddio adnoddau'r ysbyty, safiad sy'n profi gwerth y sefydliad. Yn unigryw ymhlith ysbytai'r chwareli, roedd darpariaeth Ysbyty Chwarel Dinorwig yn mynd y tu hwnt i wasanaeth galwedigaethol cyfyngedig ac yn cynnig gofal gwerthfawr hefyd i unigolion nad oeddent yn gweithio yn y chwarel, yn arbennig felly, rhai gwragedd a merched.

Mae hanesion merched ardaloedd y chwareli, ar y cyfan, wedi cael eu hepgor o'r hanesyddiaeth yn llwyr. Rwy'n grediniol mai dim ond trwy chwilio a gwrando ar leisiau gwragedd, gweddwon, merched a chwiorydd y chwarelwyr y mae modd gwneud cyfiawnder *o ddifrif* â hanes y broydd llechi. Gan ddefnyddio iechyd fel canolbwynt, mae modd rhoi sylw teilwng i gyfraniad gwragedd a merched chwarelyddol: boed y rheiny a oedd yn derbyn gofal neu'r rhai a oedd yn ei ddarparu ar yr aelwyd.

Elfen nodweddiadol arall o ddarpariaeth y gymuned chwarelyddol oedd cryfder mudiadau cydgymorth megis cymdeithasau cyfeillgar a chyngherddau lles. Erbyn terfyn y bedwaredd ganrif ar bymtheg o fewn cylch o bum milltir i Lanberis roedd o leiaf un ar ddeg o gymdeithasau cyfeillgar, oll yn cynnig cymorth yn ystod cyfnod o salwch a chaledi. Tra oedd aelodaeth o gymdeithas o'r fath ynddo'i hun yn brawf o gymeriad parchus gweithiwr, mae llyfryn rheolau a rhestrau dirwyon sawl cymdeithas yn Nyffryn Peris yn datgelu ambell agwedd sy'n gwbl groes i gymeriad 'traddodiadol' y chwarelwr: meddwdod, cwffio, rhegi a thwyll.

Roedd cymunedau chwarelyddol Dyffryn Peris hefyd

yn perthyn i wead ehangach o ddarpariaeth. Pan fethai popeth arall bu'n rhaid i nifer o unigolion anghenus droi at wasanaethau 'y plwyf', gwasanaethau a oedd yn dra gwahanol a llawer llai ffafriol o'u cymharu â'r ddarpariaeth flaengar a ddarparwyd yn Ysbyty Chwarel Dinorwig.

O ganeuon Anweledig i gyfrolau Caradog a Kate mae hanes cyfoethog y broydd llechi wedi ennill lle blaenllaw yng nghof y genedl; her unrhyw astudiaeth sy'n cyffwrdd â hanes ardaloedd y chwareli, felly, yw taflu goleuni newydd ar hen hanes. Trwy astudio'r ddarpariaeth iechyd daw rhai o brif nodweddion diwylliannol, gwleidyddol a chymdeithasol yr ardal i'r amlwg; yn achos Dyffryn Peris, nodweddion sy'n ein galluogi i fagu dealltwriaeth ddyfnach o'r math o gymuned bur annibynnol a ffurfiwyd yng nghysgod y chwarel.

Nodiadau

1. Parry, *Llanberis*, t. 31.
2. Jones, 'The trade', t. 4.

Nodyn Llyfryddiaeth

Mae hanes y diwydiant llechi a'r chwarelwyr wedi ennill lle blaenllaw o fewn hanesyddiaeth Gymreig. Awdurdod ar yr hanes yw'r Athro R. Merfyn Jones. Yn y gyfrol *The North Wales Quarrymen 1874–1922* mae Jones yn canolbwyntio ar hanes undebol y diwydiant, gan roi sylw arbennig i'r amodau cymdeithasol a'r tensiynau a fodolai ar draws ardaloedd y chwareli a'r ffyrdd y taniwyd y mudiad llafur yn sgil y tensiynau hyn. Hanesydd arall sydd wedi cyfoethogi ein dealltwriaeth o'r diwydiant llechi yw Jean Lindsay. Canolai Lindsay ei gwaith ar ddatblygiad ac yn y pen draw ar ddirywiad y diwydiant llechi yng nghanolfannau pwysicaf y gogledd-orllewin, gan gynnig trosolwg sylwgar ar berchnogion y chwareli amrywiol. Am ddarlun llawn o'r hanes yn Ninorwig a Dyffryn Peris, mae hi'n werth taro golwg ar gyfrol Reg Chambers Jones. Mae nifer o gyn-chwarelwyr hefyd wedi cyhoeddi cyfrolau megis H. D. Hughes ac Emyr Jones. Tuedda'r astudiaethau hyn i fod yn bleidiol tuag at y chwarelwr a byddai rhai yn mynd cyn belled â dweud eu bod yn rhamantu ei gymeriad yn ormodol; serch hynny maent yn gyfrolau darllenadwy iawn, yn llawn gwybodaeth ddefnyddiol a difyr.

Yn y cyfrolau uchod rhoddir peth sylw i safonau iechyd y chwarelwyr. Ceir adran ym mhob astudiaeth sydd yn trafod y safonau iechyd cyffredinol gwael a fodolai ymysg y chwarelwyr, ond ni estynnir y drafodaeth yn llawn i drafod y ddarpariaeth iechyd a fodolai er mwyn ymdrin â'r safonau isel. Un astudiaeth sydd yn canolbwyntio'n llwyr ar ddarpariaeth iechyd y chwarelwyr yw cyfrol hynod werthfawr Dr Edward Davies. Yng nghyfrol Dr Davies cawn drafodaeth fanwl dros ben o'r darparwyr iechyd a wasanaethai'r alwedigaeth chwarelyddol yn ystod y bedwaredd ganrif ar bymtheg a'r ugeinfed ganrif. Prif ffocws ei ymchwil yw hanes ysbytai'r chwareli a chawn ganddo astudiaeth sydd wedi ei chanoli ar hanes sefydliadol a meddygol. Mewn cryn fanylder mae Davies yn trafod hanes proses sefydlu'r ysbytai, y meddygon a fu'n gwasanaethu ynddynt a'r gweithwyr hynny a dderbyniodd driniaeth. Mae fy nyled i Edward Davies yn un fawr.

Llyfryddiaeth a Darllen Pellach

DAVIES, Edward, 'The Dinorwig Quarry Hospital Surgeons', *Trafodion Cymdeithas Hanes Sir Gaernarfon*, 65 (2004), tt. 98-110.

DAVIES, Edward, *The North Wales Quarry Hospitals and the Health and Welfare of the Quarrymen* (Aberystwyth, 2003)

DODD, A. H., *A History of Caernarvonshire* (Dinbych, 1968)

DODD, A. H., *The Industrial Revolution in North Wales* (Caerdydd, 1951)

FINLAYSON, Geoffrey, 'A Moving Frontier: Voluntarism and the State in British Social Welfare 1911–1949', *Twentieth Century British History,* 1, 2 (1990), tt. 183-206.

FINLAYSON, Geoffrey, *Citizen, State and Social Welfare in Britain 1830-1990* (Rhydychen, 1994)

FRASER, Derek (gol.), *The New Poor Law in the Nineteenth Century* (Llundain, 1976)

GWYN, David, *Llechi Cymru: Archaeoleg a Hanes* (Aberystwyth, 2015)

HARRIS, Bernard, *The Origins of the British Welfare State 1880–1945* (Basingstoke, 2004)

HODGKINSON, Ruth, *The Origins of the National Health Service: The Medical Services Under the New Poor Law 1834–1871* (Llundain, 1967)

HONIGSBAUM, Mark, *A History of the Great Influenza Pandemics: Death, Panic and Hysteria, 1830–1920* (Efrog Newydd, 2014)

HUGHES, H. D., *Y Chwarel a'i Phobl* (Llandybïe, 1960)

JONES, Chambers, R., *Dinorwic: The Llanberis Slate Quarry 1780–1969* (Wrecsam, 2006)

JONES, Emyr, *Bargen Dinorwig* (Caernarfon, 1980)

JONES, Emyr, *Canrif y Chwarelwr* (Dinbych, 1964)

JONES, Merfyn, R., '"Of Men and Stone": Radicalism and Protest in north Wales, 1850–1914', yn Deian R. Hopkin a Gregory S. Kealey (goln), *Class, Community and the Labour Movement: Wales and Canada 1850–1930* (Aberystwyth, 1989), tt. 101–118.

JONES, Merfyn, R., *The North Wales Quarrymen 1874–1922* (Caerdydd, 1982)

JONES, Merfyn, R., 'Y chwarelwyr: the slate quarrymen of North Wales' yn Raphael Samuel (gol.), *Miners, Quarrymen and Saltworkers* (Llundain, 1977), tt. 99–136.

KIDD, Alan, *State, Society and the Poor in Nineteenth-century England* (Llundain, 1999)

LEWIS, Jane, 'Family Provision of Health and Welfare in the Mixed Economy of Care in the late Nineteenth and Twentieth Centuries', *Social History of Medicine*, 8, 1 (Ebrill 1995), tt. 1–16.

LINDSAY, Jean, *A History of the North Wales Slate Industry* (Llundain, 1974)

MICHAEL, Pamela, *Public Health in Wales (1800–2000)* (Caerdydd, 2008)

MICHAEL, Pamela, 'Quarrymen and Insanity in North Wales from the Denbigh Asylum Records', *Industrial Gwynedd,* 2 (1997), tt. 34–43.

MICHAEL, Pamela a WEBSTER, Charles (goln), *Health and Society in Twentieth-Century Wales* (Caerdydd, 2006)

OLSON, James S., *Bathsheba's Breast Women, Cancer & History* (Llundain, 2002)

OREN, Laura, 'The Welfare of Women in Labouring Families: England, 1860–1950', *Feminist Studies*, 1, 3/4 (Gaeaf–Gwanwyn 1973), tt. 107–125.

RICHARDS, Alun, *Slate Quarrying in Wales* (Llanrwst, 1995)

SMITH, H., 'The Quarrymen who built their own hospital', *Occupational Health*, 13, 2 (1979), tt. 74–8.

THANE, Pat, *Foundations of the Welfare State* (Llundain, 1996)

THANE, Pat, 'Women and the Poor Law in Victorian and Edwardian England', *History Workshop*, 6 (Hydref 1978), tt. 31–51.

THANE, Pat, 'The Working Class and State "Welfare" in Britain, 1880-1914', *The Historical Journal*, 27, 4 (Rhagfyr 1984), tt. 877–900.

THOMPSON, Steven, 'The mixed economy of care in the South Wales coalfield, c.1850–1950', yn Donnacha Seán Lucey a Virginia Crossman (goln), *Healthcare in Ireland and Britain from 1850: Voluntary, Regional and Comparative Perspectives* (Llundain, 2014), tt. 142–160.

WADDINGTON, Keir, '"In a country every way by nature favourable to health": Landscape and Public Health in Victorian Rural Wales', *Canadian Bulletin of Medical History*, 31, 2 (Hydref 2014), tt. 183–204.